善生悦教系列

我从彩虹那边来

如何养育0至7岁的孩子

Beyond the Rainbow Bridge
Nurturing our children from birth to seven

[美] 芭芭拉·帕特森（Barbara J. Patterson）

帕梅拉·布莱德（Pamela Bradley） 　著

郝志慧　译

陈燕红　审校

D1529578

天津教育出版社
TIANJIN EDUCATION PRESS

图书在版编目（CIP）数据

我从彩虹那边来：如何养育 0 至 7 岁的孩子／（美）帕特森，
（美）布莱德著；郝志慧译 .—天津：天津教育出版社，2011.10
ISBN 978-7-5309-6601-3

Ⅰ．①我…　Ⅱ．①帕…　②布…　③郝…　Ⅲ．①家庭教育
Ⅳ．① G78

中国版本图书馆 CIP 数据核字（2011）第 213035 号

Beyond the Rainbow Bridge: Nurturing our children from birth to seven by Barbara J. Patterson
and Pamela Bradley
Copyright © 2000
　　　　　　　© 1999 (Cover art and illustrations)
Originally Published by: Michaelmas Press,
Address: PO Box 702,8 Winkley Street, Amesbury, MA 01913 USA
Website: http://www.michaelmaspress.com
Simplified Chinese translation copyright © 2011
by Lipin Publishing Company
ALL RIGHTS RESERVED

版权合同登记号　图字 02-2011-105 号

我从彩虹那边来：如何养育 0 至 7 岁的孩子

出 版 人	胡振泰
作　　者	［美］芭芭拉·帕特森　帕梅拉·布莱德
责任编辑	孙丽业
装帧设计	成　劼「北京大诚艺术设计机构」
出版发行	天津教育出版社
	天津市和平区西康路 35 号
邮政编码	300051
经　　销	新华书店
印　　刷	三河市华晨印务有限公司
版　　次	2011 年 11 月第 1 版
印　　次	2012 年 5 月第 3 次印刷
规　　格	16 开
字　　数	77 千字
印　　张	11.75
书　　号	ISBN 978-7-5309-6601-3
定　　价	28.00 元

献给所有孩子，
他们是我们伟大的老师。

编者的话

天下没有不爱自己孩子的父母，可如何去爱，似乎成了当前年轻父母们很大的一个困惑。

这一代孩子的童年与我们当年已经大大不同了：在城市，有院落的平房纷纷拆迁，大家搬进被统一规划的小区，不知道左邻右舍的姓名，不敢让孩子给陌生人开门；大多数孩子都是独生子女，没有兄弟姐妹，在家里没有同龄的玩伴，一举一动都在成人无微不至的关注之下；在农村，年轻的父母纷纷进城务工，隔代抚养使得孩子们平日缺少父母的关爱；父母离异成了常事，单亲家庭越来越多，孩子们在年幼的时候就不得不去经验内心分裂的痛苦；电视机、电脑和手机成了我们育儿的好帮手，孩子可以几个小时一动不动地盯着屏幕里愈来愈"重口味"的动画片，乐此不疲地玩着变形金刚、"植物大战僵尸"的游戏，而早已不知道捉蜻蜓、抓石子的乐趣……

我们把孩子带到了这个世界，但如何对他（她）好？我们是否真的懂得孩子们的需求？为人父母，这是需要下点功夫去了解的。孔子讲，这个世界上，只有极少的人是生而知之的，对大多数人而言，还是要学而知之。要想做一个好父亲、做一个好母亲，应当去深入学习，尤其是在这个瞬息万变的时代。

当前有一股新教育的潮流，越来越多以华德福理念（Waldorf）为指导的幼儿园乃至学校正在中国各个城市出现。这些幼儿园和学校的创办者、教师和家长中，很多是反思自身教育历程之后，希望给孩子一个更健康的成长环境的父母们。

什么是华德福教育？简单说来，它是起源于德国的一套已有近百年历史的完整而独立的教育体系。华德福教育针对人在 0~7 岁、7~14 岁以及 14~21 岁这三个阶段的不同需要来设计教学内容，注重孩子意志、情感和思维的全面发展，并关注每个儿童的个体差异，以一种极富艺术性的方式帮助孩子与这个世界建立深刻的联系。华德福教育虽然是西方现代文明发展过程中的一个产物，但有趣的是，它内在的精神与中国自古以来道法自然、因材施教、教学相长的优秀传统不谋而合。在东西方文化充分融合的当今时代，我们需要从以华德福教育为代表的西方优秀的教育理念中吸取经验，与中国的现实情况相结合，为我们的孩子开辟一条新路。鲁迅先生说得好，没有拿来的，就没有新文艺，同样的，没有拿来的，就没有新教育，就不能成就一代新人。

这套丛书名为"善生"，第一层意思就是希望大家好，爱惜生命，热爱生活；第二层意思就是在人生的旅程中，学无止境，止于至善。丛书分两大系列：一是"善生悦读"系列，将陆续推出许多内容上乘、制作精美的中外作品，作为不同年龄段孩子的课外读物，相信这批书将给孩子们留下终生难忘的印象；二是"善生悦教"系列，将选择一批适合父母、教师们阅读的优秀作品，目前已经面世的有吴蓓的《请让我慢慢长大：亲历华德福教育》和李泽武的《重新学习做老师》，可以让我们感受到教育者与孩子一起成长的感动；美国人杰克·帕特拉什的《稻草人的头，铁皮人的心，狮子的勇气》，介绍了如何通过意志、情感和思维的全面发展，帮助孩子健康成长；德国人赫尔穆特·埃勒的《与孩子共处的八年：一位华德福资深教师的探索》，介绍了华德福教学与众不同的方式：主课教师会陪伴孩子八年，将他们从一年级一直领入青春期的门槛；澳大利亚的"故事医生"苏珊·佩罗《故事知道怎么办：如何让孩子有令人惊喜的改变》，则以丰富的事例，讲述了如何在家庭和学校生活中，针对孩子的各种挑战性行为创作出具有疗愈作用的故事。

最后，引用这么一句话送给天下的父母亲："我们必须有勇气准备让他们（孩子）来欣赏这个世界，来理解这个世界，并且按照自身的特点积极地参与这个世界。"——这就是我们共同的责任。

编　者

2011 年 7 月

中文版序

我非常高兴可以为《我从彩虹那边来——如何养育 0 至 7 岁的孩子》的中文版写序。

在每一个幼儿从彩虹那边进入现世生活的旅程中培育和保护他们，是华德福早期幼儿教育的目的。芭芭拉·帕特森和帕梅拉·布莱德描述了如何通过一些非常实用的方法来达到这个目的。作为母亲、祖母和华德福幼儿园老师的芭芭拉的观点和经验已经在北美深受父母、亲子课老师、家庭看护者和幼儿园老师们欣赏。我相信在中国，它们也会为父母和教育者们很好地接受。

芭芭拉关于幼儿的健康发展的描绘是通用的。对英裔美国人歌曲、故事和诗歌的收集也许能够给中国的父母和教育者们带来灵感，使得他们能够从自己丰厚的文化底蕴中去发掘类似的珍宝。

这本小书还讲述了节奏、温暖的重要性，以及帮助孩子进行自由的创造性玩耍的重要性，今天所有的父母都可以从中受益，来帮助孩子的发展。

苏珊·霍华德（Susan Howard），

北美华德福幼儿协会协调人

2011 年 10 月

目　录

前　言

今天的家长在养育孩子的过程中几乎要被数不清的选择所淹没，而且每一种选择背后都有科学研究作支持。我们需要付出时间、勇气和耐心，去认真思考每一个选择，尤其是在孩子零至七岁这样一个最重要的成长阶段。

芭芭拉·帕特森是一位资深华德福教师，她明确指出："那些被当今社会视为'正常'或普遍接受的观念，对于家庭和孩子来说，未必就是'健康'的。"

芭芭拉所展示的关于儿童成长的观点以华德福教育创始人鲁道夫·斯坦纳的理念为基础。斯坦纳针对儿童的每一个发展阶段，描绘出他们的身心成长状况和需要，家长和老师可以以此为指引，为孩子的一生打下健康的基础。

对儿童的这种理解对于指引孩子学习是如此重要，自八十多年前第一所华德福学校（也称斯坦纳学校）建立以来，这一独立的教育运动已经遍及全球，在世界各地的46个国家和地区创办了七百多家华德福学校。

芭芭拉是高明的教师，也是慈爱的祖母。她爱孩子，深深了解孩子的需求。她以一种充满常识的智慧，将斯坦纳的洞见转化为明智的、令父母感到安心的建议。

芭芭拉的阐述直接、明确，很容易被家长理解和接受。在每一章的末尾，芭芭拉所带领的父母成长小组的成员们呼应着她所阐述的思想，提出了许多来自真实生活的问题。这些问题和芭芭拉的回答让本书更切合当今这个时代。有些读者可能希望做更深入的探索，为此我们提供了生日故事、手工说明，列出了适合各个年龄段的童话故事，推荐了有关的读物以及与华德福和人智学有关的资源。

对于初为父母者、祖父母、幼儿园教师以及每一位希望给予孩子高质量照顾的成人来说，《我从彩虹那边来》都是一本不可多得的好书。

在此我谨向本书作者芭芭拉和帕梅拉致以最真诚的谢意。

珍妮特·凯尔曼（Janet Kellman），
美国加州费尔奥克斯（Fair Oaks）市
鲁道夫·斯坦纳学院幼儿教育部负责人

简　介

多年来，我一直想编写一本介绍华德福教育的书。几年前，当我大女儿进入华德福学校学习时，我就希望有这样一本读起来津津有味的小书，放在床头柜里，每天晚上取出来细细品读一会儿。这样的一本书，可以帮助我丈夫和我了解学校的教学进展、老师们所追求的目标，启发作为家长的我们应该做些什么来使他们（以及我们）的工作更顺利一点儿。但是，我并不知道如何将所有这些信息融入一本小书；而且，我当时对于华德福教育也确实没有什么深入了解。

1995 年秋的一天，当我得知深受女儿爱戴的一位华德福老师芭芭拉要在家里开设一个家长系列讲座时，我突然有了灵感。这就是我一直在等待的机会啊！我有一种感觉：芭芭拉知道要对家长说些什么，而且，我也能够将芭芭拉那睿智的话语融入到一本小书里。

在接下来的四周里，每个周四的早晨，我都会参加芭芭拉的父母成长课程。家长们纷纷从她家前门进来，帮助孩子脱掉外套和鞋子，把他们送到地下室，交给负责照顾孩子的人。家长们——初为父母的、有经验的、年轻的、年长的、来自城市的、来自郊区的——聚集在一起，把客厅和餐厅的座位都坐满了。我们被一个共同的因素牵引着来到这里，那就是为了孩子。

所有参与过课程的家长都认为应该将这些讲座的内容分享给更多的人。我很高兴能协助芭芭拉使这本书得以诞生。我们把它作为礼物送给大橡树学校，这是一所位于芝加哥北部郊区、正在苗壮成长的华德福学校。

华德福教育一直是我家的一盏指路明灯，在一个经常忽视甚至伤害孩子的时代，它帮助孩子健康成长。我非常感谢华德福学校培育我的孩子在身心灵方面的健康发展，我也同样非常感谢芭芭拉·帕特森女士。

芭芭拉对她所照顾的孩子有一种不可思议的敏锐直觉，她是一个真正的专家。她爱孩子，能够从孩子的角度出发，给我们带来很多启发。一位曾与芭芭拉共事过的老师说，"帕特森女士的课堂安排合理，有一种让人看着就很舒服的韵律。她总是很平静，对当下的需要非常敏感。

我时常感觉到她在教室里创造出的那种韵律像抚慰孩子一样抚慰着我这个成年人。与她一起工作是一件令人愉快的事情。她是一位有智慧的老师，是华德福教育的典范。"

你很快就会发现，芭芭拉这种敏锐的感觉和她自身的经历是密不可分的——正是由于她的人生阅历，她才如此了解孩子。她的自传本身就是生动的一课，也是接下来所发生的一切的支柱。在我们这个快节奏的社会里，她传递的信息令我们欣慰，就像童话故事令孩子们欣慰一样。欢迎您参加我们与芭芭拉·帕特森的美妙聚会！

帕梅拉·布莱德
1999 年写于芝加哥

第一章
我的生活，我的工作，我的孩子

几年前我给母亲写了封短信表达感谢。我告诉母亲，小时候她在我周围创造的节奏和良好习惯是如何影响了我成人后的生活和对孩子的教育。在我小的时候，母亲是一位了不起的家庭主妇，平常的家务活在她手中也变成了一种艺术。甚至连她的晾衣绳看上去都好像一幅画——所有袜子成双成对晾在一起，然后是一件件的男士衬衫肩并着肩，再接下来是所有色彩缤纷的厨房毛巾在微风中摇摆。

我父母的家

小时候，我知道星期一是清洗日。母亲会给大家的床换上新床单，拿走浴室里所有的毛巾，换上干净的。星期二是熨烫日。我现在依然能够历历在目地回忆起母亲熨烫过的那些衬衫。她将衬衫折叠好，放在餐厅的桌子上，每件衬衣的领子对着另一件衬衣的领口，一件接一件地叠放在一起。她通常一周熨烫二十一件衬衫。同样，餐巾甚至厨房毛巾也被熨烫好，整齐地放在餐桌上。母亲做事时认真的样子，仿佛被艺术家描绘出来一样，仍然留在我的记忆中并影响着我的工作。

我感谢母亲赋予我的这份礼物，尤其是现在。我不必学习怎样把节奏和良好习惯带给我的儿女以及我班上的孩子们。我心中已经拥有了它们。它们是伴我长大的。

我童年的另一个重要内容是布娃娃游戏。母亲曾怀疑我是否会一直玩布娃娃，永远不会停止！不过，是母亲创造了这种游戏，她为我做衣服的时候也给我的布娃娃缝制了配套的行头。随着我的年岁增长，我的布娃娃游戏也越来越复杂。最早的时候，我假装是布娃娃的妈妈。长大一点以后，我把布娃娃摆放在自己的"教室"里，给他们当老师。学校

放假之前，我会在校园里到处转悠，看是否有老师们丢弃的书本或纸张，那样我就可以捡回来在我自己的"学校"里用。

再长大一点后，我开始学着给布娃娃缝衣服。我最近无意中翻出母亲过去为布娃娃做的一套睡衣裤。在我小的时候，有一次，睡衣领口处的别针掉了。我在布上弄了个粗糙的洞，在相对的那面缝了个扣子。母亲看见以后，让我在

扣眼周围缝上线，这样洞洞才不会越来越大。五十多年过去了，当年我在粗糙的扣眼周围小心翼翼缝上的那些稚嫩的针脚依然如旧。

这些早期的经历引导我进入了幼儿教师的职业生涯。我们班上的一些布娃娃还穿着母亲当年做的衣服，而且孩子们也像我小时候那样喜欢布娃娃游戏。

在我的班上，"娃娃家"非常受孩子们的欢迎，甚至本来不怎么玩布娃娃的孩子也喜欢它。多年来，经常有家长和老师们问我，我是如何吸引孩子们来参与布娃娃游戏的。对于我们班上的孩子来说，这非常自然，因为我自己很喜欢布娃娃。

就像母亲和我通过布娃娃联结在一起一样，父亲和我通过晚上的矫正弱视的练习联结在一起。父亲每天晚上都要花一个小时，用一种手提式机器来增强我眼睛的协调度。他白天已经工作了一整天，而帮我矫正视力又占用了他陪伴母亲和我兄弟们的时间。这种练习持续了多年，我的视力日渐好转，父亲那温暖的爱和奉献精神一直鼓舞着我，让我满怀信心地去生活，去做幼儿教育的工作。想不到的是，父亲老了以后，他自己的视力却丧失了，我去看他的时候，他总喜欢让我读书给他听。

父亲是一位尽职的家长，为我们提供了稳定的家庭生活。我还记得，每逢周六上午，我们会一起去买东西，我总是蹦蹦跳跳地跟在他旁边，商店里的人总会议论说我们肯定是父女，我长得跟他一模一样。那真是些特别的时刻。

对于我们来说，用餐时间也是非常特别的时刻。我们喜欢一边吃晚饭，一边听父亲讲他年轻时或大学时代的故事，这些故事给全家人聚在一起的时刻带来了莫大的欢乐。1995 年，在和母亲过完 65 周年结婚纪念日之后，父亲去世了。父亲和母亲给了我稳定而快乐的童年，给我树立了榜样。对于我来说，这是一份珍贵的礼物，为我后来的教师生涯注入了力量。

我自己的家

我的孩子也教会我许多东西，让我体会到应如何当一名老师。从女儿身上，我再次体会到一致性和节奏的重要。女儿充满想象力、外向，而且非常活泼。我发现对抗性的纪律对她不太奏效，更有效的方法是在家中创造一致性和鲜明的节奏。

我的儿子和女儿完全不同。他比较内向，面色苍白，身材瘦弱，智力发育早，看上去比实际年龄要小。从他身上我学到了保护孩子是多么重要。他太敏感，以至于去了人群嘈杂的商场后都会发烧。由于智力发育得早，他可以用语言表达出对于我的养育方法的感受，从而教给了他的妈妈一些东西——其他孩子可能只是隐约中感觉到的东西。

他在四年级时转到了纽约市的鲁道夫·斯坦纳学校，自此以后，他发生了非常明显的变化。一开始，当他看到同学们通过玩沙包来背诵乘法表时，他觉得很担心，生怕自己在一个只是玩的学校里没法变得很聪明。但是一段时间之后，他自身理性的一面与华德福学校里丰富多彩的艺术活动取得了很好的平衡，甚至连身体也变得强壮起来。我父母对华德福教育一无所知，但他们曾高兴地说，如果在街上遇到我的儿子，肯定认不出他了。儿子在智力方面也获得了很好的发展，如今他是一名医生。

我必须要说，我不是为了孩子而专门寻求华德福教育的——我的丈夫是一名牧师，由于他的工作的缘故，我才接触到华德福教育。实际上，起初我有些抵触人智学，并不认为鲁道夫·斯坦纳的理论与我自身的生活经验有什么内在联系。但是我试着对我丈夫觉得很有意义的事情保持开放的态度，逐渐地体会到了斯坦纳教学的价值。我印象最深刻的是，我的两个孩子分别在公立学校待了三年和五年后，都很快地接受了华德福教育。我女儿的华德福老师说女儿到学校大约三天后，对那里的一切适应并习惯，就像她以前一直在那里一样。

我开始积极参与学校的活动，包括晚上的父母学习小组、木工课，甚至还有音语舞——这是斯坦纳所发明的一种舞蹈艺术形式。不久，我知道我想当一名老师，但不知道如何获得必要的培训。我一边照顾孩子一边尽我所能地继续学习华德福教育。

我过去是一个全职妈妈，经常参加教堂组织的一些与孩子们有关的活动，包括夏令营以及十几岁孩子的团体活动，甚至曾经有其他孩子在我们家里寄宿。我们家的气氛很活泼！我总感觉，孩子和他们的朋友爱待在我们家是好事，这样我可以更加了解他们。总之，我们家成了孩子们的集合地点，尤其我们住在纽约时更是这样。在学校举办活动的时候，成群的孩子会来到我家换装或过夜。

我们还曾经领养过一个孩子，她和我们一起生活了两年。这对我来说是另一种学习经历。我曾以为只要给孩子足够的爱和适当的氛围，即使她出身不幸，也可以很好地成长。然而这个 11 岁的孩子，在来到我们家之前已经在五个不同的领养家庭里待过。她的亲生母亲是一个酒鬼。

她不懂得接受爱，也不懂得爱别人。当地的医生说，这很可能是因为她的母亲在怀孕时喝酒，伤了她的肝。我记得她与我们在一起的第一个晚上，我打算给她读一个睡前故事，已经 11 岁的她告诉我，以前从来没有人给她读过睡前故事。让这个小女孩融入我们家庭的过程中充满了喜悦和悲伤。她确实适应了在我们家生活，但仅限于一定程度。

由于她过去的经历，我们对她所起的作用很有限。这进一步让我意识到孩子幼年阶段的重要性。有些事我们无法事后弥补，有些东西我们无法找回。有许多技术可用于治疗，但是儿时的一些创伤我们无法消除。这些经历是我成为一名老师前学到的重要的功课，我从中学到了很多。这都是不简单的功课。

我的工作

我的孩子长大离开家去上大学后，由于我丈夫的工作，我们搬到了加利福尼亚州。这给了我一个一直期待的机会。我参加了南加利福尼亚华德福学院的教师培训，之后接受了加利福尼亚州北桥市高地礼堂华德福学校（Highland Hall Waldorf School）的聘请，在那里当一名幼儿园教师。

三年后我们搬到了芝加哥。正在我寻找机会打算继续当华德福教师

孩子们在河滨公园儿童之家的院子里用午餐

的时候，我在一次会议上遇到一个人，他提到我可以参加一个华德福理
念的家庭项目。开完会回到家，我意识到我家就是实施项目的绝妙场所。
就这样，我们在芝加哥家中的一楼成立了河滨公园儿童之家（River Park
Children's Garden），我在这个幼儿园工作了八年，然后我加入到大橡树
学校（Great oaks School）的教职员行列。

在大橡树学校，我的工作包括顾问、督导、在亲子课程中担任老师，
并在理事会任职。此外，我还参加了一个华德福教师培训项目，这个项
目名叫阿克特斯（Arcturus[1]），本部位于芝加哥，我负责为教师和有意成
为教师的人们讲授幼儿教育课程，并担任几个学员的督导。

1　Arcturus，大角星，是牧夫座（Bootes）中最亮的恒星，也是全天空第三亮的恒星。

在大橡树学校担任早期幼儿教师时，我观察到我班上的一些孩子难以融入日常活动的节奏中，包括晨圈时跟上老师的手势和动作、融洽地与其他小朋友游戏以及在故事时间集中注意力，而大多数孩子都能够做到这些。对于这些孩子，除了华德福幼儿课程外，我还能够做些什么来帮助他们呢？

这个问题引导我参加了由治疗教育协会举办的培训课程。这门为期三年的课程是以鲁道夫·斯坦纳博士所描述的儿童发展为基础的，这也是华德福教育和奥德利·麦凯伦的著作《额外的课程》一书的工作基础。

我于 2000 年的春天完成了该培训，之后不久就搬到密歇根州，开始在罗切斯特希尔斯的奥克兰斯坦纳学校担任老师。这个职位在许多华德福学校里被定位为教育支持教师。我为那些不光在学业上、且可能在协调能力和专注力上都有困难的孩子提供帮助。

除了担任教育支持老师外，我继续参与帮助早期幼儿教师，并且已经在密歇根东南部的华德福学院教授成人班。

我已经七十多岁了，而我的职业生涯还没有停顿，对此我非常感恩。我所说的，所写的，都来自我作为一名母亲、一名老师以及一名受到鲁道夫·斯坦纳和人智学教育的学生的人生经历。

我们的孩子

我希望本书可以帮助家长了解儿童如何健康成长，了解华德福教育

孩子会从环境中吸收一切

的理想和理念，甚至了解现在和将来我们在教育孩子的过程中将面临哪些挑战。在每一章的末尾，我附上了家长们在父母成长课程中所提的问题和意见——这些问题非常直接而深刻。每天，这些家长都在尽最大的努力，要给孩子一个健康的童年。在节奏飞快、诱惑多多的现代社会，这可不是一件容易的事情。我班上的这些父母分享给大家的东西实在太精彩了！我想读者们在读到他们的问题和意见时，会觉得他们说出了自己的心声。

由于整个社会文化的影响，如今的孩子们被过早地剥夺了童真——

芭比娃娃、电视、载着孩子迅速掠过所有广告牌和店铺招牌的汽车，这些印象深深地植入了他们的内心。

但是我们不能在真空中培育孩子，作为家长，我们只能细心地甄别和挑选出适宜孩子接触的东西。前面说过，大家都认为是正常的未必就一定是健康的。我们的目的是培养"健康"的孩子，在他们年幼的时候，我们要让他们远离一些所谓的"正常"体验，例如观看有暴力情节的电视节目。孩子们会通过自己的感官印象，吸收电视里的信息，甚至广告牌上的图像。电视甚至会影响孩子视力和语言的发展。孩子的天性就是要动个不停，要去做事情，看电视这样一种被动的行为是不利于孩子的。

我们要记住，在养育小孩子的过程中，我们的首要任务是保护他们，为他们提供良好的榜样，让他们去模仿。孩子们会吸收他们在环境中所体验到的一切，周围环境中的一切都会进入他们的内心，而内心的一切都会影响他们身体和精神的成长。如果能够对自己的孩子施加好的影响，实际上你已经在影响孙子那一辈人的生活。

下面这些诗行来自美国诗人惠特曼（Walt Whitman）[1]，在我们写《我从彩虹那边来》的过程中，它深深启发了我们，它告诉我们，孩子实际上是他们所处环境的化身。希望你也像我们一样喜欢它：

有一个孩子每天向前走去，

他看见最初的东西，他就变成那东西，

---

[1] 摘自惠特曼《草叶集》，译者不详。

在当天或当天某个时候
那个对象就成为他的一部分，
或者继续许多年
或一个个世纪连绵不已。

第二章

培育健康、快乐而有能力的孩子

　　我想，在这个世界上，没有任何一种快乐可以比得上父母迎接宝宝降生时的喜悦。在我的经验里，那种感觉真是无与伦比。当我们凝视着新生儿，另一种同样难以言传的感觉会从我们心中升起。就如同格林童话《玫瑰公主》中那十二个充满智慧的女预言家赐予新生的公主各种神奇的天赋，我们心中也突然充满了一种热切的渴望，想要尽可能给孩子最好的生活，希望他拥有健康，并在生命旅程中施展出自己独特的天赋。如果说，迎接新生儿的喜悦令我们欢愉而振奋，那么这种渴望则是那么深沉，甚至带来些许的伤感。

　　可是，也许片刻之后，第三种强烈的感觉随之而来——害怕。在我们今天所生活的世界里，我们怎样才能做到前面说的这一点？怎样才能找到一条途径，可以给孩子他所需要的，同时又是我们所期待的？

欢迎来到这个世界

　　为人父母的喜悦是上天的赐福，随之而来的渴望是指引父母前进的路标。但是最近几年里，我看到越来越多的害怕和迟疑。

　　从我自己做老师、做妈妈和做祖母的经验里，我发现要培育一个健康、快乐而有能力的孩子有赖于以下三个基本要素。第一，要理解孩子的成长规律，这样在孩子成长的过程中，我们既不会对他们要求太多，也不会要求太少。第二，要理解"温暖"对孩子成长发育的重要性，要照顾好孩子，使他们的身体具有足够的温暖感。第三，要意识到每天、每周、每月和每年的生活节奏所赐予孩子的礼物。

　　在这一部分，我们将详细讨论培育健康孩子的这三个基本要素。

儿童的成长规律

婴儿不加选择地吸收环境中的一切。所有的印象深深地进入婴儿的内心——他吸收声音和色彩，感觉成人如何对待他，甚至吸收母亲照顾他时的态度。他吸收周围环境中的一切，成为自己的感官印象，不加判断，也不做过滤。在这段时间，我们必须做孩子的保护屏障。

鲁道夫·斯坦纳认为，婴儿的感官印象在他们的整个身体里"波动、回荡，发出声音"。从这个视角来看，婴儿吸入的印象会影响他们的生命力，并进一步影响他们的身体发育以及器官有节奏地工作的能力[1]——7岁之前尤其如此，而在婴儿时期，这一点体现得最为明显。

出生到两岁半

让我们想象怀里正抱着一个小小的新生儿。我们的第一感觉是什么？斯坦纳指出，婴儿的生命力主要在头部工作，用于发展神经系统。我们可以看到，他的头约为总身长的四分之一，和整个胸部一样宽，他的下巴后缩，下颚很小，整个人圆圆的、软软的。他的胳膊很短，骨盆和腿没有身体其他部分发达。

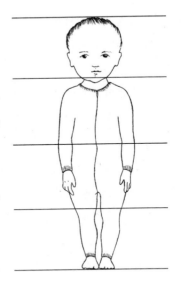

---

1 见鲁道夫·斯坦纳1924年4月8日至11日在斯图加特所作的演讲"教育的精髓"（The Essentials of Education）。

新生儿的器官仍在发育中，无论是器官构造还是有节奏地工作的能力都还不健全。你会注意到，新生儿的呼吸是不均匀的。如果我们为宝宝建立不断重复的日常生活节奏，就可以帮助他们发展出健康的内在节奏。婴儿的动作也是杂乱无序的。观察饥饿的宝宝，你会发现他手脚乱摆，动个不停。随着宝宝适应家里的节奏并开始模仿成人的活动，他们自己的动作也逐渐变得有规律起来。[1]

在两岁半之前的这个阶段，儿童最重要的成长体现在说话、走路和本能地思考这几个方面。这些成长从宝宝呱呱坠地就开始了，因为哭就是说话的开始呀！随着孩子渐渐长大，他开始整天"咿咿呀呀"地说话——全世界的婴儿最初都是这样"咿咿呀呀"说话的。很快，咿呀声变成了"妈妈""爸爸""大大"等以"a"音结尾的声音，再后来，父母所说的语言中的那些音也慢慢出现在孩子的语言中。他第一次给周围的人和物体起名字，并开始用一个字的句子交流。再然后，他把动词和这些名字放在一起。最后，我们听到了简单、完整的句子，有时还会听到他一下子说出许多叽里咕噜的话来——蹒跚学步的孩子好像整天都在说个不停。

孩子的物质身体也以类似的方式在发展。新生儿不能独立支撑住头部，不过渐渐地，他的脖子日益强壮，能够支撑住沉重的头部了。在接下来的几个月里，婴儿开始翻身、坐起，手臂和胸部肌肉也日渐强壮。这些早期的活动为走路打下了基础。

---

1 见弗莱亚·杰福克（Freya Jaffke）所著《模仿的意义和意志发展的例子》（*The Significance of Imitation and Examaple for the Development of Will*），发表于《华德福幼儿园简报》（*Waldorf Kindergarten Newsletter*）1990年1月春季刊。

双手似乎要抓住天空

随着腿和下肢的发展，爬的技能开始呈现出来。运动的发展和语言的发展是如此紧密相关，语言治疗师常常用爬行练习来帮助大孩子克服语言障碍。

观察一个孩子在生命最初这几年里的发展是非常美妙的。他一次次地尝试，努力地坐起、爬行和走路。不管跌倒了多少次，他从不放弃尝试。一股内在的力量在驱动他，在说："我会做到的！"我大孙女的一张照片就很好地说明了这一点，照片里的她非常自豪，因为她终于找到了平衡——她举起双臂向前走，放开了所有的支撑物，但似乎还需要抓住天空。

模仿在语言发展中起着关键作用。如果我们当着孩子的面好好地说话，他们也会好好地说话。斯坦纳以及其他一些教育家首次指出，和小孩子说话时应避免使用幼稚的儿语，也不必纠正他们的语言错误。只要在孩子面前恰当地说话，就可以帮助他们在语言方面正常发展。[1]

回想一下孩子刚出生的时候，我们发现新生儿的两项主要活动就是

---

1 见《了解孩子的发展：鲁道夫·斯坦纳演讲汇编——幼儿园教师使用手册》中"七岁之前的孩子"部分（伦敦人智学出版公司）。

一 我从彩虹那边来

吃和睡。然后，让我们来跟随他的成长——在两岁之前，他学会坐起、爬行、站立和独立行走。他通过运动，通过从牙牙学语中学会说话，一点点地探索和发现周围的世界。

我们可以意识到，所有这些发展过程，都是孩子在逐渐"醒来"，进入这个世界。当孩子经历这些不断改变的阶段时，我们需要调整与其相处的方式。

两岁半到五岁

幼儿中期的主要身体特征是躯干的成长。随着生长部位的转变，我们可以看到此时的重点是身躯变宽、变厚实，特别是胸部。孩子现在的生命力主要作用于上胸腔，尤其是心和肺。随着躯干成为孩子成长的焦点，头部占整个身长的比例变成了五分之一。这个时期宝宝的肚子通常都显得大大的，胖胖的，让整个躯干看起来像个椭圆。这时他们还没有清晰的腰线，背部曲线也还看不出来。

在这期间头部有什么变化呢？孩子的下巴有一点向外伸了，上唇比下唇稍微突出，脸部表情更丰富了。他的脖子也长长了一些，腿和胳膊都壮实了些，尽管腿部的力气还不够大。

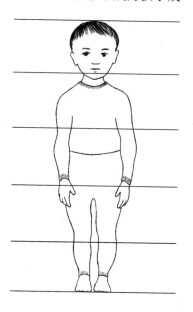

在两岁半到五岁期间，孩子的运动越来越灵敏，越来越协调。他到处爬，跑得越来越稳，也越来越快——如果你曾经试过去抓住一个跑掉的孩子，你就会知道这一点。

我们也可以看到类似的内在发展。孩子大约两岁半的时候，我们开始注意到他的记忆能力越来越好。斯坦纳认为，这种早期的记忆基于模仿。"某一天，孩子模仿了一些东西，第二天以及接下来的日子里，他一次又一次重复地模仿，这个行为不仅是外在的动作，同时也进入到他身体的最深处。这就是记忆的基础。"[1] 儿童最先发展的是联想记忆。看到一个饼干罐子，他会想起曾经拿饼干给奶奶。可是，如果你问他那天上午他做了什么，他可能记不起来，于是他会说不记得了，或者不怎么说话。可是有时候，几天甚至几周后，某个东西或某件事情会激起孩子的记忆，他会滔滔不绝地说出整个事情，包括所有细节。在这个阶段，最好避免问孩子这样的问题——这是在要求他们做一些超出这个发展阶段的能力之外的事情。

三岁左右，孩子开始称自己为"我"。而在此之前，他提到自己时通常直呼自己的名字，例如"汤姆"或"乔尼"。可是有一天，父母或老师可能会听到他说："我不想做你让我做的事情，我要做我想做的事情。"

这意味着孩子进入了一个新的阶段。他第一次体验到自己是一个

1　见鲁道夫·斯坦纳《教育的根源》（ *The Roots of Education* ）中的第三个演讲，1924年4月13日至17日（伦敦鲁道夫·斯坦纳出版社，1968年）。

　　　　　　　　　　　　— 我从彩虹那边来

独立的个体，随之而来的是思想的觉醒。[1]他发展出更加清晰的时间观念——昨天、今天、明天——尽管还要过好久，他才能真正理解"我们五分钟后离开"是什么意思。新近发展出来的语言和记忆能力是思想觉醒的基础。前面我们说过，看到饼干罐，他会想起曾经拿饼干给奶奶。渐渐地，孩子的记忆变得更加独立，不需要看见什么东西就能回忆起发生过的事情或经历。

紧随"我"阶段而来的是"不"阶段。即使你的儿子通常都很顺从，你让他做什么，他就做什么，现在他也常常会说"不"。成人对"不"作何反应是很重要的。如果我们不知所措或反应过度，三岁的孩子也会模仿我们。如果到了洗手的时间，我们只需要和孩子一起去洗手就可以了。

我们来稍微看一下"不"背后的东西。我们的孩子说"不"是为了试探一下尺度，就如同我们试穿鞋子一样。如果我们不采取对抗的态度，孩子和父母都会快乐一些，不过这并不意味着不去做该做的事情。读一首押韵的诗，唱一首歌，或者陪孩子一起去做一项工作，都可以帮助化解三岁孩子的抵抗意志。在"不"阶段，适当的幽默也可以发挥奇效。

在三岁左右，孩子们开始更善于表达自己的感受，因此常常会流露出更多的感情。你的孩子可能会爬到你的膝上，要你抱一抱，之前他可不这样。在这个阶段，孩子的语言也发展得更熟练，开始用形容词去表达他们对事物的感觉。之前他们可能说想要一块饼干，现在他们会说要

1　见卡尔·昆宁（Karl Koenig）《孩子的前三年》（*The First Three Years of the Child*）（纽约人智学出版社）。

一块好吃的巧克力饼干。

在这个阶段，孩子语言发展的另一个特点是喜欢用自己创造的词。他们以一种极具创造性的方式玩着语言的游戏，此外他们开始喜欢听故事，尤其是在睡前。对故事的兴趣源于越来越丰富的词汇量，以及对语言的越来越强的理解力，同时听故事也可以帮助他们丰富词汇量，加强对语言的理解。

这还是一个"为什么"的年龄。他们一遍遍地问"为什么"，对我们的答案却往往不太感兴趣。他们在体会自己可以问问题这一事实。成人总喜欢以完全符合科学的答案来回应，但一个简单而有诗意的回答往往更好，更符合这个年龄段孩子的真正需要。"为什么外面天黑了？""太阳公公睡觉了，明天早晨他会回来叫我们起床的。"对于三到五岁的孩子，这样说比解释地球围绕太阳转更好。

孩子的社交能力也在发展。两岁的孩子一般各玩各的，而三岁、四岁或五岁的孩子在玩耍时开始有了互动。不过，紧随三岁孩子的"我"阶段和"不"阶段而来的，通常是四岁或四岁半孩子那有名的"固执期"。当意见相左或冲突时，四岁的孩子要是固执起来，那可真够令人头痛的！虽然他喜欢和朋友们一起玩，分享玩具对他来说却很难。随着这个阶段接近尾声，他进入了一个更为和谐的阶段，有的教育家甚至把五岁这一阶段称作"优雅期"。

五到七岁

在五到七岁期间，孩子的身体发育经历了很大的变化，特别是腿，一下子就长长了。一夜之间，似乎所有的衣服都小了，尤其是长裤。在这个年龄，生命力主要作用于四肢。"婴儿肥"不见了，肌肉和关节变得更加明显。"宝宝肚"消失了，腹部变苗条了，脊柱曲线日渐成熟，腰线也分明了。

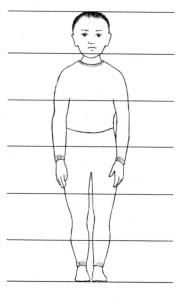

与以前相比，五到七岁的孩子现在能够更好地主导自己的行为，因此游戏变得更有目的性和计划性。观察一下你就会发现，六岁孩子的奔跑是有目的的，相比之下，三岁孩子跑来跑去纯粹就是为了好玩。孩子们反复练习，练就了一副好身手，可以在操场的攀爬杠上熟练地爬上爬下了，只要有观众，他们都很乐意展示一下自己的新本领。

在这个阶段，另一个明显的变化就是孩子的记忆力比以前好多了，这样一来，当孩子行为不妥时，父母和老师要想转移他们的注意力也就难多了——现在他们不会轻易就忘记自己的初衷，常常坚持着要去尝试一下！孩子说话时的句子变得更加复杂，有时嘴里会冒出从别处听来的脏话或粗话，让你大吃一惊。五到七岁是一个转型期，这个年龄的孩子常常会对长辈顶撞和回嘴，看到不公平的现象则会爆发出强烈的愤怒。六岁的孩子到了快要上学的年龄，许多新能力开始冒出头来，对此他自己也在努力地适应着。

与特定的朋友约会变得很重要

　　五到七岁的孩子在伙伴关系方面也变得更加有意识。玩得好的朋友轮流去各家做客成为一项重要的内容。他的游戏世界从家里扩展到后院，最后延伸到整个街区。到了吃饭时间，父母不得不一家一家地去找自己的孩子。现在孩子大了，常常聚在一起，玩一些更复杂的游戏，制定出规则，共同分享自行车、跳绳、球、粉笔等玩意儿。和朋友们在一起，孩子会有一种自由的感觉，不过做父母的心里清楚，他们时不时地还需要照应着点儿，不能完全不管。

温暖的重要性

　　斯坦纳告诉我们，温暖支持着生命，因而是健康成长发育的最基本条件。甚至在出生之前，我们就已经通过母亲的子宫感觉到温暖了。成人的身体可以自己产生热，婴儿却无法做到这一点。婴儿必须依赖父母提供身体的接触、适合的衣服及毯子来保暖。在许多传统的文化里，母亲仍然把婴儿包在襁褓中，并让宝宝贴着她们的身体，尤其在孩子一岁前更是如此。

安德里亚·润提（Andrea Rentea）是一位人智医学专家和医生，他解释说："宝宝生出来以后，如果不马上用暖和的毯子包好，就到处抱给人看，结果很可能是送入保温箱，需要额外的保温措施，因为他无法保持自己的身体温度。"[1] 为了让脆弱的小宝宝保持温暖，不仅需要细心，也需要一些特别的措施。

宝宝出生以后，可以把他放到妈妈的肚子上，让妈妈的体温为他增加热量。同样，金盏花婴儿油或杏仁油也可以帮助保暖。给新生的宝宝带上帽子并包裹起来，或许可以帮助他自己维持身体的热度。

孩子在冰凉的地面上玩耍时，最好垫一块天然纤维的地毯，这样他们的腿才不会受凉。欧洲有一句老话，在所有带"R"的月份里[2]，宝宝都需要穿连裤袜、羊毛袜或羊毛和丝绸织成的长袜。孩子身体 70% 的热量从头部流失，所以帽子对于保暖非常重要。

学龄前儿童似乎冷了也感觉不到。如果你问他们冷不冷，他们通常

1　人智医学的治疗方法以鲁道夫·斯坦纳对人的全面理解为基础，是传统医学的延伸。斯坦纳从自己的洞见和经验出发，整合了顺势疗法、芳香疗法、自然疗法和帕拉塞尔苏斯派（Paracelsian）的学说，创建了一门独特的治疗艺术。对人智医学感兴趣的读者可以读一读《人智医学简介》（*An Introduction to Anthroposophic Medicine*），该书收集了鲁道夫·斯坦纳的一系列文章和主题演讲，由纽约人智学出版社于1999年出版。

2　指九月、十月、十一月、十二月、一月和二月。

会说不，即使他们的身体摸上去凉凉的。他们的这种内在感觉还没有完全发育好。润提博士指出，如果孩子得用自己的能量来保暖，那么用来健康发育的能量就会减少。这意味着他们用做其他方面发展的能量也少了。因此，我们必须注意给孩子保暖，给他们戴上手套和围巾，多穿几层衣服，如背心、T恤和毛衣等，这些衣物最好是天然纤维的。在漫长的冬天，对于孩子来说，最舒服的事莫过于坐在温暖的炉火旁，喝上一杯放了茴香、甘菊或玫瑰的热茶，或是一杯掺了姜汁的热苹果汁——这些可都是经过时间考验的冬日佳饮！马郁兰、百里香、土茴香、咖喱等香料既能提供更多的温暖，又能让冬日里的餐点更加美味。

你可能不曾想过，有时候孩子生病是为了帮助他保持健康的体温。看看孩子的病你就会知道，孩子生病时经常会发烧，而成人就不是这样。润提博士发现，小时候经常发烧的孩子，长大后保持精神和身体温暖的能力相对较强。

在华德福幼儿园里，为了保护和滋养孩子的温暖感，我们很注意让他们在不同天气里穿合适的衣服。我们还要求家长提供备换的衣服，而且要多放一件运动衫或毛衣在园里，以防天气突然变化。

节奏的重要性

当人们直接依赖于自然而生活时，他们的生活也必然更具有节奏。他们意识到，遵守每一天、每一周，甚至一年四季的节奏，才能收获生活所需要的东西，做到丰衣足食。除此之外，他们直觉地知道，这些节奏会让他们有更多的力量去工作，给他们带来好处。星期一是清洗日，星期二是熨烫日，依此类推，直到周末，周六是烘焙日，周日去教堂、走亲访友并好好休息，为新的一周做好准备。这种固定的生活节奏带给孩子强大的安全感。由于我母亲一直在家中创建出非常好的节奏，所以我从小就对此深有体会。许多儿歌和韵律诗中都提到一周中的每一天做些什么事情，例如《我们绕过桑树丛》（*Here We Go Round the Mulberry Bush*）[1]。同样，一直到近代，很多人还一边工作一边唱着有节奏的歌谣——秋收的时候，划船的时候，锯木头的时候，都有相应的歌谣。当人们合着音乐的节拍工作时，每个人都可以省一些力气。这些歌曲让他们更有干劲，也减少了工作的压力。

可是，看看我们现在的生活，就会发现这种节奏已经面目全非。有了自动洗衣机和自动烘干机，我们可以随时把一堆衣服扔进去，不用理会每周的节奏。同样，熨烫日也不复存在，我们可以临时熨烫今天要穿的那一件，甚至购买免熨烫的衣服，完全省去熨烫的麻烦。孩子们再也看不见日常家务活从开始到结束的全过程。没有人想放弃现代生活的舒适便利，但这些节奏确实可以给孩子一种安全感，让他们实实在在地触摸到生活。

已退休的英国华德福幼儿老师玛格丽特·米尔考特（Margret Meyerkort）认为，如果为孩子建立有规律的外部节奏，那么一种内在的节奏也会在他们体内形成。如果每天定时吃晚餐，晚餐时间临近时，孩

1　见105页。

子的胃里就会自动分泌出消化液。如果每天定时睡觉，那么当你做睡前准备工作，给他们讲故事、祈祷或读韵律诗的时候，睡意就会向他们袭来。他们的物质身体和生命力会自动作出调整，去适应这个规律。

如果生活没有节奏，孩子的感觉就像是在不同的时区里穿行。当我们飞越大洋的时候，我们的自我意识会变得更加清醒，以应对时差和内在节奏所受的干扰。如果我们无法在家庭生活中建立一致的节奏，就等于让孩子每天都处在类似飞越大洋的状态中。没有节奏的家庭生活实际上缩短了孩子的童年，强迫孩子过早地从童年的梦幻状态中醒来。在缺乏节奏的环境中，孩子会过度使用自己的能量来维持平衡。

我们都知道，身体的节奏是衡量身体健康与否的一个指标。医生给患者作身体检查时，会测量他的心率、血压和脉搏。如果某个人的这些节奏不正常，那么他很可能就是生病了。此外，节奏还有助于保持一个人的力量——一个人慢跑的时候如果遇到红灯，他宁愿在原地踏步跑，而不愿停下来等绿灯，因为那样会打破原有的节奏。

有些父母觉得，在如此忙碌的现代社会，他们无法为孩子建立节奏。在此我要提醒大家的是，我们天生就处在一个充满节奏的世界里。每周七天的轮转，太阳的东升西落，月亮的盈缺，四季的更替，所有这些无意识的宇宙节奏都在支持着我们。我们无需做任何事情去创造这些节奏，它们是我们所处的自然世界赋予我们的礼物，可以帮助我们为孩子创造一种有节奏的生活。无论是在家里，还是在学校里，当我们建立起节奏，我们也是在帮助孩子与大自然的节奏建立更牢固的连接。

学校的节奏

在华德福幼儿园，整个上午的活动都体现出鲜明的、有益身心的节奏。我们的课程中既有"吸入"时间，也有"呼出"时间（也称"收缩时间"和"舒展时间"），这样孩子们可以保持平衡，既不会觉得无聊，也不会过度兴奋。以上午的作息为例，首先是孩子们到校后短暂的自由玩耍时间，这是"呼出"，接下来的晨圈时间属于"吸入"或"收缩"活动，老师和孩子们一起围成一个圈，一边念诗、唱歌，一边做大大小小的肢体动作。接下来，孩子们在更长的上午玩耍时间里再次"呼出"，在游戏中让自己舒展开来。在收玩具和吃点心的时间，他们再次"吸入"。户外玩耍时，他们"呼出"，最后，通过故事和再见圈，他们再一次"吸入"。

节奏还可以帮助我们维持纪律。如果孩子知道接下来会发生什么，就会有一种安全感，会更愿意"随波而动"。他们心中浮现出接下来要做的事情的图景，于是自然而然地就加入了老师所安排的外部活动。当孩子看见老师放下手中的工作，去布置餐桌、准备点心时，他们就知道很快该收玩具了——椅子放好以后，我们就开始收拾玩具了。

每一次，我们都按照同样的顺序收拾玩具。首先，我们把玩具架之类的大件放回原处，然后是大块的木头和木板，再然后是要放回篮子里或架子上的东西——贝壳、石头、木雕以及厨艺角的那些物件，最后，我们把布折起来放回筐子里。我们每天都尽可能地把东西放在原来的位置，这样孩子们很快就熟悉了每样东西应放在哪里，会很有信心地来帮忙。所有这些都创造出一种教室环境，孩子总是知道接下来会发生什么，而且确信他们的需求一定会得到满足，从而产生一种安全感。

家庭的节奏

我们可以把同样的节奏带入家庭，在安排每天的活动时，还要关注"呼吸"的品质。在家里带孩子时，可以制订一个合理的计划，让孩子在一天中既有室外玩耍的时间，也有室内玩耍的时间，既有和别人一起玩的时间，也有独自玩耍的时间，有吃饭的时间，也有休息的时间。

即使父母双方都要工作，节奏也可以成为每天生活的一部分。起床和离家前的准备工作都可以在固定的时间、按固定的顺序进行；每天睡前可以准备好你和孩子第二天要穿的衣服。如果孩子一整天都待在学校或日托所，那么家里的早餐和晚餐时间就显得更加特别。你可以建立一个睡前惯例，包括彼此说说白天发生的事情，讲一个故事，读一首"晚安诗"。周末的时候，试着多安排些活跃的户外游戏，而不要总待在家里休息，这样可以创造出我前面提到的"呼吸"品质。

在院子里寻宝

我知道有的父母工作时间不固定，这样的情况下，建立有规律的家庭生活会更困难一些。不过，我们关注的是让孩子每天都有一个地方去"定锚"。无论遇到什么情况，我们

—— 我从彩虹那边来

都要尽可能以富有创造性的方式去解决。

　　当然，如果家里有不同年龄的孩子，建立节奏就更是一种挑战了。不过你会发现，即使在一天之中带入一些小小的节奏，也会给年幼的孩子以帮助。一些再简单不过的事情——例如每天让孩子在特定的时间布置餐桌，摆放杯垫或放花瓶什么的，就可以改变整个晚餐的气氛。

　　随着一年中各个季节的变换，可以举行一些特别的活动，将四季的节奏带入家庭生活。例如，秋天来临，收获的季节到了，我们也开始在厨房里忙碌起来。我们可能会去采集蔬果，可能会做罐头，并把它们放进冰箱。摘苹果、削皮、做苹果派然后烤出来，这一类的季节性活动是孩子们可以参与的。在这个季节，大自然中有许多美妙的东西可供我们拾取。可以布置一张简单的季节桌，放上从户外收集的东西，如贝壳、

神奇的烛光

树叶、孩子们散步时捡到的特别的石头等——这些都是孩子们的宝贝，帮助他们融入当时那个季节里大自然中所发生的一切。

在家里庆祝节日也让孩子们欢欣雀跃。当他们看到你为某个节日做准备，拿出所有那些熟悉的装饰品，往年过节时的许多记忆会涌上他们的心头。年复一年的这些节庆让他们确信，所有美好而特别的时刻都会再次来临。

每个季节都有属于自己的特质。当白昼渐短，外在的光线变暗，光明节[1]或圣诞节便翩然而来，在这些节日里，我们会去庆祝内在光明的力量。相反，在夏季，我们在光亮和温暖中舒展自己，欣赏着这个季节梦一般的特质。随着四季的轮转，孩子们深深沉浸在每个季节所特有的品质中，并从中得到滋养。

父母的提问

家长：芭芭拉，我喜欢听你讲自己是怎么长大的，你有一个美好的、富有节奏的童年，对此我一点也不惊讶。可是，我是在一个有八个孩子的家庭里长大的，我母亲苦恼不堪。生活对她来说简直乱成一团，她总在洗衣服，总在急急忙忙地干这个，干那个。我发现自己现在也在重蹈母亲的覆辙。作为一个成年人，我该怎样抓住节奏的感觉，并把它带给我的孩子们？我好像做不到。

1　光明节（Hanukkah），又称"修殿节"，是犹太人一个庆祝光明的节日。

家长：我也是！我感觉自己的内在很混乱，有时候我的需求和孩子们的需求完全不同。下午，有的时候我感觉需要到户外去，可孩子们也许需要待在室内。我该如何平衡他们的需求和我自己的需求？

芭芭拉：我会从小处着手。选择一天中的一个方面，并问问自己如何在那个活动中建立一个美丽的节奏。当你感觉到一种新的节奏已经渗入那个活动，再挑选下一个。

家长：你能举个例子吗——什么样的活动？

芭芭拉：洗碟子如何？那是我们都要做的事情。试着为这件事创建一个惯例。你是如何清理餐桌的？要全心全意地去做手中的工作。你的孩子也会把这一点吸收进去的——你的态度非常重要。我们是匆忙地洗完碟子，还是一个一个专心地洗干净？

家长：我家是完全乱套了。每天晚上都是我和孩子们一起吃饭，我的丈夫总是不在家。我们吃过晚餐，就把餐具留在那里。那时已经到睡觉时间了。我把孩子们弄上床，这时已经很晚了，于是我自己也睡觉了，盘子就丢在那里不洗。当家里一片混乱的时候，第二天孩子们的表现也不好。他们好像不能顺利地玩下去。

芭芭拉：把晚餐时间提前会有很大的不同。你做清洁的时候，孩子们可以多一点玩耍的时间。这样他们在睡觉前可以有时间去消化，这对他们的健康有益。

家长：我总怀疑自己是否太刻板，因为我喜欢床铺得整整齐齐的，碟子洗得干干净净的。我是不是太死板了？然而，你今天所讲的让我觉得，也许自己力图有秩序是对的。为了满足女儿的需要，我必须得调整自己的节奏。

家长：我知道你的意思是说，既要完成自己的工作，也要考虑他们的节奏。那太难了！

芭芭拉：这就像玩杂技，对不对？在这种情况下，我们需要在死板和无序之间找到一个平衡点。

家长：我干活的时候，如果孩子们也来参与，最后总是会弄得一团糟。有时候是因为我无法提前做好让他们帮我的准备，有时候我会想："让我一个人快点做完吧！"

家长：我干活的时候，如果孩子也想参与，我会让他们在烤箱盘上或地板上工作，免得小豆子撒得到处都是，或者这里那里都是布头。这样他们就不会给我添乱，事后也不用怎么清理。

芭芭拉：让孩子参与我们日常的家务活是一门真正的艺术。试着提前想好该怎么做，这样你就不会临时手足无措。如果做好准备，孩子的表现会非常好，令人欣慰。

家长：我们家的生活没有规律，每天的日程都不一样。我会在一个晚上以及第二天的下午出去上课。我想问一下，怎么让孩子知道我们每天要做的事情？如果他们知道我们哪天要外出，哪天要留在家里，应该会好一些。

芭芭拉：在幼儿园我们发现，孩子们不是用"星期一""星期二"——而是用"烘焙日""绘画日"来记住每周的日子。他们记住的是那一天要做的事情。试着让每一天都有一件孩子们可以参与其中的事情，用这件事情来识别这一天。

家长：周六吃煎饼，周日吃鸡蛋，这样可以吗？

芭芭拉：是的，这是孩子们识别日子的一种方法。其他的方法可能包括把某一天作为"换床单日"，另一天则清扫游戏室，把架子上的玩具分类整理。

家长：不久前我读了一本关于亚米希部落的书。书里的女主角虽然生活和工作都很艰苦，却不抱怨，不焦躁，这令我非常感动。她会想出点子来布置餐桌，并因此而心满意足。我自己两岁的孩子一直想帮我布置餐桌。我喜欢看她铺餐垫，那其中有一种简单的美。有时我想起过去我只想快点完成任务，根本不愿让她帮忙，我就忍不住想要流眼泪。

家长：我母亲很有秩序，但是不太懂得变通。小时候我觉得那样太死板。然而，那些节奏也许已经深深融入我的内在，因为我发现我不喜欢乱糟糟的生活。

芭芭拉：这是一个很好的观点。面对生活，我们要保持灵活性，要包容，不能把清洗日看得高于一切。我们不能变成计划的奴隶。可是如果我们有一个每天要做什么的基本计划，事情会顺利得多。

家长：我有一个孩子。上帝保佑有好几个孩子的母亲！我不知道你们是怎么做的！有时我耗费了整个下午的时间也找不到节奏。快吃晚饭的时候，我会变得非常恼火。从丈夫那里我也得不到任何安慰。我不擅长创造安静的时间。我现在就指望着儿子三岁以后可以独立一些，有时可以自己单独去玩一会儿。我真的不想老坐在那里念书给他听。

芭芭拉：这是一个很普遍的问题。该到户外去了。改换一下场景。呼吸点新鲜空气。

家长：要是到了午睡时间，孩子们不再午睡了，而我却累了，该怎么办？

芭芭拉：我曾经告诉我的孩子们，尽管他们不累，可我累了，我让他们在自己房间里玩半个小时。有时候你需要的只是感觉更自由一点。或者也可以一起躺在床上读一本书。

家长：我们家吃饭的时间一点都不规律，我女儿在早餐时间不饿。我们的晚餐在下午六点到八点之间。我对此感觉到一点自责。洗澡晚了。睡觉时间也晚了。结果第二天早晨又是恶性循环。

芭芭拉：开始的时候，试着缩短这个时间，不要让晚餐时间有两个小时的差别。五点半你可能做不到，但五点半到七点之间呢？这一点做到以后，再试着进一步缩短时间差。

家长：我经常上午就开始计划晚餐，这对我很有帮助。晚餐之前如果很忙，我就把提前熬好的汤热一下，或者用旺火炒个菜。我还用炖锅和瓦罐加快做饭时间。

防止晒伤

芭芭拉：我希望今天每个人离开的时候，都带着一些新的想法，去为自己以及孩子建立有节奏的生活。这是一个真正的挑战，因为日常生活中有许多令人分心的事情，但是节奏可以给你的家庭带来好处，所以一切努力都是值得的。关于今天上午的话题还有其他问题吗？

家长：我想要回到之前你讲过的关于孩子戴帽子的话题。那么在夏天的月份里也要戴帽子吗？

芭芭拉：我们相信孩子即使在暖和的天气里也应该戴帽子。孩子每天需要晒大约 20 分钟的太阳，以获取骨骼所需的维生素 D，但是润提博士相信，除了这 20 分钟晒太阳的时间，在上午十点到下午两点之间是不能直接暴露在阳光下的。如果过度日晒，不管什么肤色的孩子都会被太阳光线伤害。阳光暴晒和灼伤会导致患皮肤癌的几率增加，不论暴晒和灼伤发生在什么年纪。

　　润提博士指出，头顶部对于太阳光线尤为敏感，特别是七岁前的幼儿。我们必须防止孩子受阳光中的 B 紫外线辐射和 A 紫外线辐射，前者会引起灼伤，后者会破坏皮下组织。一顶宽檐帽就可以起到保护头部和颈部的作用，还可以保护眼睛不受反射光线的影响。润提博士还认为，在如今大气臭氧层日益减少的情形下，戴帽子可以保护脆弱的卤门——它被脑脊髓液所覆盖，下面就是大脑——不受环境中气温变化的影响。

第三章

玩耍——孩子健康成长的源泉

孩子什么时候开始玩耍？他们的第一个玩具是什么？回想起来，我记得我的孩子刚开始是玩自己的手——盯着小手看，在脸前挥舞着，还把手放进嘴里。之后，他们会把大脚趾放进嘴里，还会玩他们够得到的干净尿布。几个月大的时候，他们会抓着拨浪鼓摇晃。婴儿实际上只需要非常简单的玩具。

出生到两岁半

除了他们自己的手和脚，鲁道夫·斯坦纳认为，对婴儿来说最重要的玩具是一个非常简单的布娃娃。我们可以照宝宝的形象做一个这样的布娃娃——头占整个身长的四分之一，和宝宝自己的身材比例相符。

这个布娃娃会成为令小孩子欣慰的玩伴。它很柔软、可爱，用天然纤维做成。在斯坦纳看来，这样的布娃娃是人类自身的一个形象，孩子把娃娃当成自己的一部分，以至于有时候会用自己的名字给布娃娃命名。当孩子长大一点时，我们可以做一个与之前类似的布娃娃，不过有了胳膊和腿。[1]

当孩子学习坐、直立以及行走的时候，他需要模仿他人。父母不妨在孩子学会站立之后，为他提供一些填充动物玩具。如果真为孩子们提供这些玩具，让他们去关爱和照顾，那就要注意，这些玩具的体态和神情应该与活的动物类似。孩子深深的无条件的爱可以接纳任何一个小动物或布娃娃，但是作为父母和老师，我们尽量不给孩子动漫玩具。我们希望孩子能把他们的爱给那些真实的东西，不想冒险让卡通形象占据孩子的想象，取代了动物的真实形象。

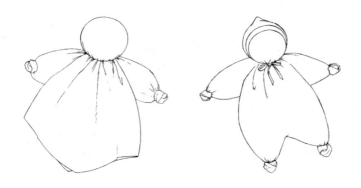

1　布娃娃的做法见114页。

我们为小孩子选择的玩具是极其重要的。通过玩具，孩子们可以将他们每天所体验到的表达出来。小孩子不需要很多玩具。事实上，如果他们面前有太多的玩具，他们可能一个也不玩。对于蹒跚学步的孩子来说，其他简单的玩具还包括木勺、罐子和碗，父母在厨房里干活时，他们会把这些东西从碗柜里一次次地拿出来。小孩子喜欢在我们身边玩，而不愿意自己待在另一个房间里。我们做家务的时候，动作要有条理，注意力要集中，这一点很重要，尤其是小孩子在旁边的时候。我们的手势、态度以及努力的程度会在他心中留下印象，被他照单全收。他自己游戏的时候会模仿我们的工作习惯，并成为他尚在萌芽中的工作态度的一部分。

当孩子在旁边时，我们可能无法完成我们的工作，但是怎样去做比做了什么更加重要。如果孩子在旁边时，我们只能专心地工作 15 分钟，这也是被很好地利用了的 15 分钟。

刚学会走路的小孩喜欢玩小篮子，他们把篮子装满后倒空，又装满又倒空。在沙坑里用小桶装沙子时也是这样。他们对于这种玩法乐此不疲并且会天天重复去做。这是他们体内正在运作的"构建力"的一种延伸。这种装满又倒出的行为和器官的成长和新陈代谢有关，反映出孩子内在正在进行构建和破坏的过程。

婴儿和刚学会走路的孩子都特别喜欢在浴盆里打水，把水溅得到处都是！坐在高脚椅上吃饭时，他们还爱把食物或勺子往地板上扔，不停地扔，直到大人厌倦了一次次去捡。他们还喜欢钻进一个用布遮盖起来的小小空间，在那里他们感觉自己藏了起来。这些游戏是他们认识这个世界的方式。

以何种方式照顾玩具对孩子来说是很重要的。如果使用玩具筐，就很难带着呵护去收拾玩具，尽管收拾起来会更快。布娃娃的"爸爸妈妈"更乐于把"宝宝"放在小篮子做成的床上或小摇篮里过夜，不论这张床或摇篮是多么简陋。如果每天都把玩具放在同一个位置，孩子们帮起忙来会更容易。我们可以用篮子来给玩具分类，用架子来摆放玩具，这样房间里会显得美观舒适，还为第二天的游戏做好了准备。

两岁半到五岁

这个年龄的孩子玩耍时，注意力变得更加集中。三岁左右，最初的"幻想游戏"出现了——这是一个美妙的"假设"和"让我们假装"的阶段。这是孩子发展过程中的一个里程碑。这个年龄的孩子有能力将周遭环境转变成他们的游戏世界所需要的样子。对他们而言，现实和幻想是交织在一起的，两者相互交融，无法分离。在桌子底下建造的房子对他们来说就是一座真正的房子。

为什么会这样呢？小孩子吸收他们的环境，成为自己的感官印象。他们的生命力依然如此旺盛，这些感官图像继续活在他们的内心，他们可以充分地重复体验。然后，他让自己"加入"到这些体验当中，在游戏中把自己曾经观察到的事物的部分片段或全过程重新演绎出来。他内心的图景是那么鲜活，因此只要有一张简单的桌子或玩具"在那里"就可以了。对小孩子来说，这些都是非常真实的。

如果我们成人想要准确模仿某个人的行为，我们必须仔细观察那个人一段时间，并用我们的思考来达到想要的结果。但是孩子凭直觉吸收某个场景，把整幅图景保留在心中，然后进行模仿，其精确的程度是任何一个成年人都无法做到的。

娃娃代表人的形象

这个年龄的孩子所需要的，是那些可以在玩耍时随心所欲改变用途的玩具。我们在幼儿园里准备了很多这样的玩具——一篮篮的贝壳、松果、木块、丝绸和棉布，还有木偶。随着游戏的变化，这些玩具不断变成别的东西，在这过程中，孩子们学会了在环境中工作和生活。实际上，他们就是在做店主、农民以及其他各行各业的工作。我们注意到，他们在游戏的时候很少扮演自己这个年龄的人，他们会假装自己是小宝宝或大人，但通常不是自己这个年龄的人。

我记得十二月初的时候，我们班一个孩子的妈妈打电话给我，她不知道圣诞节给儿子买什么礼物。她不想给上幼儿园的儿子买电脑游戏或塑料的卡通玩偶，但不知道还能送什么东西。我建议她买几个篮子并在里面装满丝绸、水晶、木质晾衣夹以及棉布。除此之外，我建议

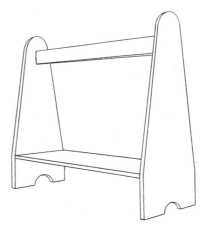

她再添两个木质的玩具架。她笑了，想象着当儿子发现邻居孩子收到电脑游戏而自己得到些布块时会有什么感觉。不过，她还是照我的话去做了。不久她回复说，那真是一个美妙的圣诞节，儿子和他的小妹妹玩得不亦乐乎，对这些礼物非常满意。

每天都要给这个年龄的孩子一个空间，让他们不受干扰地游戏，这一点非常重要。这样他们可以去充分扮演生活中的角色，同时培养专注力。你做成人工作时那种投入的态度会带给他们游戏的力量，所以你不一定非得坐下来和他们一起玩，虽然有的时候那样也挺好。我们做日常工作的时候，不妨记住这一点。我们做事的时候，我们的孩子正在凭本能观察我们，即使我们所做的只是最不起眼的家务。

让孩子体验土、水、风、火这四种元素也是一件很好的事情。在玩耍中接触这四种元素可以使孩子建立与自然世界的连接，轻轻地在大地上扎下根来，不过玩耍的时候成人要注意看护好他们。孩子们用形成自己身体的元素来创造整个世界，在这个过程中，他们的生命力会变得更加旺盛。"土"的游戏包括做泥巴蛋糕，玩沙坑和泥土。所有的孩子都爱玩水——洗碗，用打蛋器在水里做泡沫，晚上洗澡时把小船和厨房容器放进浴盆里玩。"风"的游戏包括玩降落伞、玩纸飞机、吹蒲公英，甚至在风里吹肥皂泡。玩火的时候，大人一定要小心看护。有很多方式都可以把这种元素带给你的孩子，例如和朋友们一起来一个仲夏夜篝火聚会，冬天里享受炉火的温暖，或点燃餐桌上的蜡烛。

有一次，在连续下了好几天雨之后，我带着班上的孩子外出。地面上湿漉漉的，我们在人行道上发现了一些蚯蚓。孩子们想救这些蚯蚓，

— 我从彩虹那边来

免得它们被踩死或淹死，整个户外活动时间，他们都在忙着把这些蚯蚓一条一条地从人行道上搬运到树下的休息处。这类创造性的行为唤醒了他们内心活生生的构建力，并将它延展到周围的世界。你可以把它当成生命本身的一种练习——孩子们从中汲取的力量将让他们受益终生。

创造性游戏中有成长和发展，明天的游戏永远和今天的不一样。明天是新的一天，游戏会向一个不同的方向发展。这就是为什么我们通常不会让孩子们保留他们在教室里搭建的房子、火车和村庄。

记得要留出足够的时间来收拾玩具，让收拾也变得有趣。没有一个孩子或大人喜欢苦差事。我们幼儿园想出了一个"清理板"的方法。有的孩子会把玩具放在板上，然后"搬运工"把他们搬到合适的位置上。

对小孩子说"去收拾你的房间"通常没有多少效果。那对他们来说太难了。但是你可以说："来，咱们一起把今天的玩具收拾好。你可以拿一个篮子来帮忙。"他们刚开始时可能不太乐意，但即使他们只做一点点，你也要感到高兴。下一次你可以让他们再次加强这个体验。

五到七岁

在这个年龄段，孩子们的游戏时间变得和谐多了。此时，他们通常已经学会分享玩具。五岁孩子在创造性游戏方面达到顶峰，并且注意力集中的时间也延长了。对于父母和老师们来说，这是真正的"优雅期"。五岁孩子的游戏也变得更为复杂。他们潜心于游戏的建立或发展过程，而不是最终的结果。举例来说，他们可能会花很长时间去布置"新郎和新娘"游戏的场景，其中一群孩子要做一本书，让牧师在婚礼上用，可是他们做书做得太专心了，以至于最后也没有办成婚礼仪式。然而，在游戏时间结束时，这个过程令他们心满意足。"看医生"的游戏也是这样。这个年龄的孩子会四处转悠，去寻找一些东西来布置医生的办公室，他们会搭建一个豪华的候诊室，还找来"夹板""石膏"和"拐杖"，但他们会不会真的进入到"看病"的环节，那就很难说了。

现在，孩子们玩偶戏的时候开始需要观众了，单纯的玩已经不能让他们满足。准备表演时，他们甚至会在布置偶戏场景前先为观众摆好椅子。

这个年龄段的孩子玩游戏时有了更多的计划性。五至六岁的孩子画画的时候会有一个思考的过程。在着笔之前，五岁的孩子会想一想要画什么，而三岁的孩子却是想到哪里画到哪里，带着一种纯粹的喜悦体会着色彩。

这个年龄的孩子会想要一个有更多细节的布娃娃，给她穿衣服和脱衣服。娃娃有针织或布做的身体、胳膊、腿，甚至缝一两针做眼睛。孩子们为布娃娃梳理长长的头发，把它编起来或扎成马尾辫，觉得非常好

　　　　　　　　　　　　　　　　— 我从彩虹那边来

玩，小女孩这样做时更是乐在其中。

有一天老师可能会听见一个六岁的孩子说："真无聊啊！"这通常意味着孩子正在经历所谓的"六岁之变"，或称为"小青春期"。孩子的内心正在发生很大的变化。在此之前，是环境中的玩具在激发他的游戏，而现在，是他内在的世界在激发他的创造性游戏。游戏时间开始的时候，六岁孩子经常会和朋友们坐在一起讨论要玩什么游戏。接着他们会在屋子里寻找相应的东西，布置成他们需要的场景。

"好无聊啊"实际上意味着孩子还不知道如何利用内在的这种新能力，不知道如何对付自己新的感觉和意识。在幼儿园里，当我们发现大一点的孩子正在经历这种变化时，就会让他参与到成人的工作中，比如剥水果皮、打磨木制玩具或者缝一个娃娃。这让他们体验到作为个体的成人是如何进行有目的的工作的。这样的结果就是，一些充满想象力的图景会从孩子心中浮现，忽然有一天他就有了新点子，又跑去玩了。一定要引导孩子度过这个阶段，不管它需要几天、几个星期还是几个月。

这个年龄的孩子比之前更加灵敏，我们为他们选择玩具时要考虑到这一点。他们的构建力现在主要作用于四肢——现在他们的手指编[1]可以

---

1 本书122页有对此的详细说明。——编者注

做得很好，不再有那么多挫折了。我们在华德福幼儿园里看到的那些简单的玩具和工艺品，不仅可以帮助五至七岁的孩子变得越来越灵敏，也培养了他们的想象力。不论是电动玩具，还是精致的技术性玩具，都做不到这一点。

这个年龄的男孩子确实喜欢玩一些带有技术因素的东西。在小孩子的教室里，我们是没有技术性玩具的。但孩子们往往可以用一些现成的简单物品创造出技术性的玩具。有一次，我们班上的男孩想要造一辆火车，于是搬来一把摇椅作为司机的座位，其他孩子聚集在摇椅旁，把从河里拾来的黑色小石头投到摇椅底下，当作火车的燃料。还有一次，一个五岁的男孩在房间里找到一条带蕾丝边的围巾，把它系在腰上，变成装工具的围裙。他在围裙里装满工具，变成了一个修理工，问其他孩子有什么需要修理的。

同样，五至七岁的孩子们开始问一些更具有哲学性的问题，因此我们可能会认为他们在寻求更科学的答案。然而，从技术和科学角度出发的解释往往超出了孩子所能承受的限度，太早做智力的灌输，孩子是难以理解的。不管是多么复杂的技术逻辑或哲学关系，人们都得先想出那样一幅画面，然后才能理解它们。让我们在头脑中创造出画面的力量，和促使幼儿器官形成的生命力，实际上是同一种力量。如果我们过早对孩子做智力上的要求，就会干扰这种力量，而且还会影响到孩子的健康。

富有创造性和想象力的游戏可以帮助孩子与生活建立一种健康的关系，同样我们也可以说，只要是健康的孩子都可以创造出自己的游戏。讲到这里我想说，我相信电视是阻碍孩子游戏的最大障碍。看电视是被动的行为——看电视的时候，孩子不需要表达出他们自己的任何东西。孩子的想象力如果不天天练习，就会像不使用的肌肉一样萎缩。他们深深地吸收了电视的图像，但这些图像不是他们自己的生活，也不是自己的真实体验。以我的观察，孩子无法用电视图像创造出游戏场景——他们只能再现屏幕上出现的东西。

曾经有父母告诉我，他们的孩子在看过电视或玩过视频游戏之后，有时会显得特别兴奋。在我看来，孩子看电视的时候，他们的意志能量被压抑了，就像河流被大坝阻挡一样。当"大坝"终于崩塌，孩子的能量会爆发出来。

多年来我还注意到，那些每周看电视或录像超过一个半小时的孩子会在学校里扮演电视里的角色。他们的想象力被阻碍了，无法进行更具创造性的游戏，因为创造性的游戏源于对真实生活的模仿。我希望所有家长都能重视这件事情。

孩子是游戏的创造者

约瑟夫·奇尔顿·皮尔斯曾说:"……孩子想做的就是学习,他们通过他们最伟大的学习工具——游戏——来学习。"[1]我们作为家长和老师,必须允许孩子按照他们自己的步伐去发展,不要让从各方面汹涌而来的知识性信息阻碍了他们。如今的孩子可以玩的东西越来越多,但他们可以用这些玩具去做的事情却越来越少。父母应理解孩子的需求,在家中提供适当的玩耍空间和适当的玩具,以这种方式支持他们,只有这样,孩子们小的时候才能真正地去玩耍。

在华德福学校里,孩子是游戏的创造者。孩子们从晨圈和故事时间获得很多图景,此外他们也从自己的生活体验中获得图景,他们的游戏就源于这些图景。如果孩子总被丰富的图景所围绕,他们就可以创造出令人满意的、适合他们的游戏。

我很乐意详细描述一下华德福幼儿园里的教室环境。一张季节桌,通常摆在教室中间,反应了季节的变化,帮助孩子与周围自然世界里发生的事情联结在一起。房间的墙壁被刷成柔和的颜色,通常是一种很浅的粉色。窗户上挂着薄薄的窗帘,这样室内的光线可以变得更加柔和一

1　约瑟夫·奇尔顿·皮尔斯(Joseph Chilton Pearce),著有《儿童的游戏》(*Child's Play*),发表在《桑寇斯特华德福联盟简报》(*Newsletter of the Suncoast Waldorf Association*)1993年秋季刊上。

些。墙上尽量少挂装饰物和图画，这样孩子们可以更加专注地玩耍而不会分心。

华德福幼儿园里的玩具与一般幼儿园的玩具很不一样。前面说过，我们有一些篮子，里面装着贝壳、松果、布、木块，以及天然材料做的布娃娃和偶人。我们这里没有读书写字用的桌子，却有娃娃家和厨艺角，布娃娃一家住在这里，还有餐桌和椅子、碟子和炊具、炉子以及布娃娃的高脚椅。这些可以激发孩子模仿家里的生活体验去做游戏。

我们的布娃娃非常简单，只有很少的细节。孩子的想象力可以帮助他们在内心完成这些细节，每一天，当他需要"宝宝"开心、悲伤、生病或健康的时候，想象中的表情都可以不一样。在木头的"搭建区"里，有许多篮子，里面装着从树枝上砍下来的不规则木块、一些木桩，还有木头雕刻的动物和人——孩子们可以用这些材料布置出村庄、火车和农场等场景。还有一些篮子装着供孩子打扮的布、棉质披肩、毡布做的王冠，孩子们演戏时，这些东西都是必不可少的。偶戏桌上放着简单的布偶、用作布景的棉布和丝绸，还有一篮篮的贝壳和石头，孩子们可以用这些材料，模仿老师的偶戏和故事，创造出自己的偶戏，互相表演给对方看。老师演偶戏和讲故事是日常课程的一部分。

经常会有一些初为父母的家长问我，孩子们是否知道如何玩这些东西。实际上，这些玩具非常奇妙，孩子们必须通过工作去发现它们的神奇，并在游戏中展现出来。每天的游戏时间都是一个转换的时间。例如，开始的时候孩子们会用木块搭建一个村庄，可没过多久他们又用这些木块打起电话来。贝壳开始被开商店的孩子当作钱币，但很快又变成了餐厅游戏中孩子手中的食物。

在游戏时间，如果出现问题，孩子们会试图去解决。比方说，一座

由木头架子、棉布和晾衣夹建造的房子的屋顶倒塌了，孩子们可能会七嘴八舌，说出不同的修理意见。有的孩子会说，房子太小了，装不下那么多想在里面玩的人，所以应该扩建。而另一些孩子却希望房子维持原来的样子，因此前面那些孩子就必须与他们达成妥协。

通过这些互动的体验，孩子们锻炼了今后生活中所需要的能力。这种创造性游戏提供了许多机会，使他们能够从

— 我从彩虹那边来

各种不同的角度去寻求解决问题的办法。

这种环境具有一些能带给孩子滋养和健康的特质，这是显而易见的。你也可以把同样的特质带入到家庭生活中，让孩子在良好的家庭环境中成长为一个健康、快乐和有能力的人。

父母的提问

家长：那么对于好动的男孩呢？我的儿子对布娃娃或布娃娃游戏没有兴趣。

芭芭拉：即使你儿子不喜欢玩布娃娃，也可以在他床上放一个"小王子"，陪他睡觉，这挺重要的。白天可以让这个娃娃加入到你和孩子所做的事情中去。你给孩子读睡前故事的时候，可以让"小王子"也一起听。不过，你会发现你得想一些办法才能让这个娃娃进入孩子的游戏，让你的儿子觉得他是活生生的。

家长：如果一个两岁的男孩老想要那些可以动、可以翻滚的东西，该怎么办？

芭芭拉：一个活跃的孩子玩我所说的那些玩具时也可以很活跃——倒空篮子，用布和晾衣夹搭建房子，造高高的塔。活跃的孩子会用更活跃的方式去玩同样的玩具。我认为我们不需要更换这些玩具，但是一定要尽可能多地开展户外活动。户外活动对于比较活跃的孩子来说尤为重要。

家长：我曾经相信后天教育可以改变天性，但有了儿子之后我就不再这么想了。我家附近的男孩们在公园里玩的时候，总是把木棍当作枪。我们家没有枪，但男孩们似乎总想要去射击！如果我不让儿子射击，就得一直盯着他。

芭芭拉：家里的玩具传递给孩子的信息是最有影响力的。如果家里没有枪，那么传递出来的信息就很明显了。如果男孩们用木棍伤害他人，那就必须让他们把木棍扔掉。不过，你可以采取更正向的方式，比如帮助孩子们收集木棍，然后搭起篝火，或搭建一个什么让他们去玩，这样他们就知道可以用木棍来做些什么。

家长：我以前给孩子买了很多塑料和电动玩具，现在想挽回。现在拿走这些玩具会不会太晚了？

芭芭拉：你得逐渐地减少这些玩具，可能甚至得给他们演示如何在游戏中使用更简单的玩具。

家长：你怎么处理亲戚送的玩具？很多亲戚都会送一些买来的而不是定制的玩具，大多数玩具都是塑料的，而且数量很惊人。

芭芭拉：何不在节日前列一张清单，向亲友们提出合理的建议？或者把玩具分类并打包收起来一些，以后需要时再用。

— 我从彩虹那边来

家长：看多长时间电视比较好？

芭芭拉：吃多少毒药比较好？当然是一点也不要。但是完全不看可能也不符合现在的社会情况，而且不现实。监督内容和设置时间限度可能是更可行的选择。看多少电视可以因孩子而异。注意观察他们的游戏，听他们的谈话。如果你看到或听到他们在玩耍中重复电视里的内容，那就需要减少他们看电视的时间。如果我们在家里对孩子坚持实施这些准则，我们就真的给了孩子一个很好的礼物。

家长：我们在华德福幼儿园教室里看到的那些光滑的原木块，你们是从哪里找来的？

芭芭拉：我们去树林里，找一些粗的树枝或树桩。接着有一项很美妙的工作要和孩子们一起去做——用砂纸将锯好的木块打磨光滑。如果孩子们可以帮助制作这些玩具，他们会对这些玩具更有兴趣。

家长：教室里的偶人呢？是怎么做的？

芭芭拉：站立的偶人只是有一个头，然后用一块长方形的毡布合起来缝一下，里面塞满羊毛作身体。羊毛作头发，加一条简单的披肩或围裙，就为故事创造了一个人物。

家长：我的孩子参加学校的课后班和有组织的体育活动。这算不算游戏时间？

芭芭拉：有时父母给孩子们的下午时间排满活动，如团队体育活动、芭蕾、音乐课等等。

一定要记住我说的是"自由游戏"。父母需要给孩子自由游戏的时间。

家长：你能不能讲讲怎么给小孩子使用书？

芭芭拉：关于书我可以说的有很多。但是最基本的，孩子们喜欢别人读书给他们听，并且喜欢听故事。最好是有的书有图画，另一些没有图画。孩子们喜欢自己去描绘场景，自己去想象。晚上睡前不要连续读太多的故事，那样他们的头脑中会有太多的形象。它会造成孩子大脑消化不良，让他们睡不好觉。讲故事和读故事交替进行是非常有益的，可以讲自己小时候的故事，也可以记住一个故事然后讲出来。

家长：当你说到父母在家的工作时，你所指的工作不是电脑前的工作，是吗？

芭芭拉：是的，我指的是家务劳动。然而，我们应该像做文字工作或电脑工作一样专心去做家务。你的孩子会吸收这些并在游戏中体现出来。他们吸收你的姿势和态度。孩子从我们这里吸收好多东西，这非常神奇，也非常惊人。

家长：我做家务劳动时做不了多少就必须停下来。孩子不想让我做太久。

芭芭拉：让他们参与一些家务劳动会有所帮助。比如，如果你有一个刚刚学会走路的孩子，给他一个装了一点水的金属碗和一块海绵。当你在厨房擦炉子或灶台时，他也可以做清洁。当你在厨房扫地时，也给他一个短把扫帚和一个小簸箕。实际上他甚至能够把你扫成一小堆的灰尘扫进簸箕。刚学会走路的孩子通常不乐意独自待在另一个房间里太长时间，因此你需要找到有创造性的方法，让你的孩子在你工作时忙碌起来。

家长：那么关于父母和孩子们之间的互动呢？你是让我们不要和孩子们玩吗？

芭芭拉：我没有说不要和孩子玩，只是成人应该尽可能少地干涉孩子的游戏，因为成人带入游戏的都是来自成人大脑的思考，不是来自孩子的创造性的模仿。只是坐在他们身边做一些修补工作，常常就足以让他们感觉到，你是和他们在一起的，你加入了他们所做的事情。

第四章

十二感觉

闭上眼睛，回想你的某个孩子出生时的情景。当宝宝出生时，你可能最先听到他的哭声，然后看见他，然后本能地伸出手抚摸并抱起他。你轻柔地跟他说话，欢迎他来到这个世界。这样，从孩子出生的那刻起，你就刺激了他的感觉。

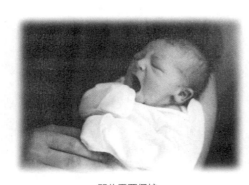
婴儿需要保护

婴儿通过三个渠道进入这个世界：呼吸、营养和感官印象。成人可以屏蔽掉不愉快的感官印象，通过思考和判断的能力，树立起一道内在的屏障，把太吵、不愉快或有害的印象挡在外面。但幼儿无法树立这样一道内

—— 我从彩虹那边来

在的保护屏障，他们完全信任这个世界，完全开放地吸收每一个印象。

从出生到七岁，孩子的生命力主要用于长身体。到七岁，这种构建力已经改变了孩子身体里的每一个细胞。根据斯坦纳和华德福教育的观点，孩子吸收的感官印象会对生命力有非常大的影响，甚至决定了孩子的身体是强壮健康，还是今后容易患慢性疾病。在本章，我们来看看鲁道夫·斯坦纳所描述的人类感觉，谈一谈为什么华德福幼儿教师会尽力去保护和滋养这些感觉。

斯坦纳认为人有十二种感觉。在他观察和思考如何最好地描述人类的感觉能力时，人类有五种感官的说法还没有像后来那样成为一种定论。在斯坦纳所处的时代，人们对人类有几种感觉有不同的看法，最普遍的看法是五种、六种、七种、十种和十一种。最初，斯坦纳认为人有十种身体感觉和三种超越感官的感觉。后来，他认为十二种感觉的划分可以涵盖身、心、灵三方面的全部能力，是一种更加精确、有效而实用的方法。换句话说，我们在学校里学到的人类有五种感觉的划分并不是唯一精确的方式，而且也不一定是最实用的方式。

阿尔伯特·索斯曼（Albert Soesman）博士在《十二感觉》一书中详细介绍了斯坦纳所说的十二感觉。斯坦纳将十二种感觉划分为三组：意志感觉（will sense）、知觉感觉（feeling sense）和认知感觉（cognitive sense）。意志感觉也称为身体感觉，主要指向一个人自己的身体，包括触觉、生命感、运动感和平衡感。知觉感觉主要用于建立人和世界的关系，包括嗅觉、味觉、视觉和温暖感。认知感觉指向自己和他人的内在体验，包括听觉、语言感、感受他人思想的感觉以及感受他人自我的感觉。了解所有这十二种感觉后，我们会明白，保护和滋养这些感觉是多么重要，尤其是在幼年时期。

意志感觉 "身"的感觉 （指向物质身体）	知觉感觉 "心"的感觉 （人与周围世界的关系）	认知感觉 "灵"／社会的感觉 （指向人的内在）
触觉	嗅觉	听觉
生命感	味觉	语言感
运动感	视觉	对他人思想的感觉
平衡感	温暖感	对他人自我的感觉

意志感觉

触觉

闭上眼睛，触摸一下你所坐的椅子的表面。稍微移动一下你的手，施加一点压力，感受一下你通过触觉获得的各种印象。你会感觉到温度、质地、阻力、摩擦、湿度、干燥等。触觉感告诉你与你所触摸的物体有关的信息，也告诉你与你自己的界限有关的一些东西。

小宝宝喜欢吸吮自己的小手，等到会走路了，他们喜欢在屋子里跌跌撞撞地到处探索，在这样的过程中，他们一天天清楚了自己的界限。小孩子什么都想摸，如果不允许他们这样做，他们会觉得痛苦。孩子小的时候，最好把贵重物品或危险的东西搬走，这样他们可以随意触摸自

我所触摸的东西也在触摸我

己能够得着的任何东西。

孩子所触摸的东西也在触摸他们，这是很重要的。在华德福幼儿园，玩具都是采用羊毛、棉花、木块和丝绸等天然材料制作的。这些材料有自己的特质，可以帮助孩子认识周围的世界。如果可能的话，我们建议你给孩子穿天然纤维的衣服，这样天热或天冷的时候，他们可以更加舒适一些。

我们看到，触摸有分离和连接双重功能。触摸告诉孩子关于他自己的一些信息，帮助他建立自我感觉。我所触摸的东西同样也在触摸我。触摸使孩子感觉到与周围环境的一种充满爱的连接。与此同时，他们感觉到自己和其他人或物的分离和界限。这些分离和连接的体验逐渐唤醒了孩子对关系的体验和重视。当我触摸你时，我更充分地了解你。当我触摸椅子时，我更全面地了解椅子的质地。通过发展健康的触觉感，孩子对于界限的理解逐渐发展起来。

生命感

生命感是一种内在的感觉，它让我们体验到自己的身体状况，知道自己的身体是舒服还是不舒服。通过这种感觉，我们可以觉察自己在任何特定时间的身体状况，并判断出疼痛的含义。对小孩子来说，饥饿和口渴也是一种疼痛，这种疼痛告诉他们自己的身体需要什么。生命感将身体是健康还是处于危险状况的印象带到我们的意识里。

格林童话里有一些暴力甚至血腥的情节，经常有家长对此表示担忧。今天，我们经常看到人们对这些故事进行改编，去掉或软化上述情节。这样做的结果实际上是剥夺了孩子的生命感，就像服用止痛药一样，钝化了这种感觉。在华德福学校，这些未经改编的童话故事是幼儿园和一年级孩子课程中的一个重要部分。

在一个真正的童话故事里——例如格林兄弟搜集的那些童话——人们历经考验和苦难，但他们接受这一切，知道只有经历这些才能证明他们有资格获得最后的回报，无论这回报是公主的爱情还是一个王国。他们面对邪恶，并勇敢地战胜它。孩子们以一种与成人完全不同的方式在体验狼的贪婪和巫婆的邪恶，他们更多的是将这些特质作为生活的原型面貌去体验，他们自己并不会与这些痛苦产生认同。他们相信一切会有美好的结局，善良一定会战胜邪恶。

这类故事加强了孩子们的道德感，故事中的画面会像种子一样埋藏在他们心中，很多年后，这种力量会指引他们，帮助他们去面对生活中的挑战。他们将能够更好地面对自己和他人身上贪婪、邪恶或妒忌的天性。我们都知道，我们从痛苦和困难中学到的，要比从喜悦中学到的多。索斯曼指出，人类如果感觉不到痛，就不会进步。如果我们对经典的童话故事进行改编，把我们认为是暴力的情节变得更加柔和，我们就剥夺了孩子增强道德感的体验。如果老师以一种客观的方式讲述故事，不用夸张的方式去讲述那些所谓的"吓人"的部分，孩子是不会害怕的。

一个真正的童话故事既有喜悦也有悲伤，两者达成一种平衡，这种体验会直接进入孩子的身体。如果一个童话故事没有被改编，也没有用夸张的声音讲述，它就可以激发和滋养孩子的生命感。讲述童话故事的艺术在于平静地讲述完整的故事，就像描述花园里的一朵花。

在童话故事的末尾，当挑战得以解决，老师总是会看到孩子们松了一口气——善良战胜了邪恶，正义得到了伸张。我们知道孩子的生命感得到了锻炼，这种锻炼有利于孩子的健康成长。

不过，我们的确会根据一个故事如何描述邪恶、根据故事的复杂程度来判断它适合多大的孩子。[1] 如果你不知道某个故事是否适合讲过或读给自己的孩子听，你可以让华德福幼儿教师帮助你进行判断。

运动感

运动感使我们可以意识到肌肉和关节的移动。例如，当你弯曲手肘

---

1 第111页列出了适合各个年龄段的童话和故事。

时，你会感觉到手臂肌肉的收缩和拉伸。此外，运动感还让我们意识到自己在周围空间中的运动。随着运动感的发展，孩子们将按照自己的步伐学会坐、站立和行走。

我们不建议给孩子使用学步车或弹跳座椅。孩子发育到一定阶段就会具有直立的姿势，在这过程中，他很自然地练习并增强了自己的意志力。索斯曼博士指出，使用学步车让孩子过早地达到这些姿势，会给孩子发育还不成熟的关节和肌肉带来不健康的压力，而且还会损害孩子运动感的发展——这些装置使孩子的身体误以为自己可以做某些动作，但实际上没有它们的帮助是做不了的。

许多华德福学校的孩子有幸参加音语舞课程，这是一种能帮助孩子

练习爬行的技巧

— 我从彩虹那边来

进行健康运动的艺术形式。在音语舞里，孩子们随着音乐或诗歌运动着身体，体验到物质体和以太体[1]之间的和谐。在幼儿园，圆圈时间以及室内外玩耍时的身体活动也可以激发和滋养这种感觉。

平衡感

我们的耳朵里有三个互相垂直的半圆管道。这种构造让我们与三维空间形成一种关系，使我们能够辨认上方和下方、右边和左边、前面和后面的物体。我们许多人都曾体验过内耳和平衡的关系。你有没有在耳朵感染的时候发现自己头晕，失去重心？耳朵感染会使我们的内在有一种动荡的感觉。我相信，如果孩子的身体还没有发育好就开始学习走路，他一定会有类似的感觉。

我们必须允许孩子去正常发展自己的平衡感，让他们内在的力量鼓励自己一次一次地尝试，最后终于不用帮助就能独立行走。如果我们过早地将婴儿置于站立的姿势，或者使用学步车和弹跳座椅，我们就阻碍了他一步一步努力地发展自己的平衡感。

我曾经把这个道理总结成简单的几句话，讲给一位初为人母的妈妈。我告诉她，如果

1　又称"生命体"（Eitheric Body），指物质身体之外的有生命的组织，类似于我们所说的"气场"。——编者注

孩子还不能自己去做某件事，那就意味着这件事对他来说太早了或者不适合。从你的孩子身上去寻找线索。如果你看到孩子很乐于做某件新的事情，例如独自坐着或站着，那就表示他已经准备好了。

许多儿童游戏都可以促进平衡感的健康发展。在华德福幼儿园，我们走平衡木、跳绳、做圆圈的时候一边读诗或唱着童谣和季节歌曲，一边做身体动作，包括跳、蹦或踮着脚尖走路。所有这些活动都可以练习和发展孩子的平衡感。

知觉感觉

嗅觉

我们通过嗅觉来体验一些东西的特质——甜滋滋的巧克力、酸酸的泡菜、腐坏的食物——以及我们与这些东西的关系。我们无法长时间屏住呼吸，因此即使作为成年人，我们能够屏蔽掉这些感官印象的时间也是有限的。每个人对气味的感受是非常不同的，例如有的人发现风信子的味道非常好闻，有人却觉得简直难以忍受。

嗅觉和记忆有关。如果我们走进一个正在烤苹果馅饼的人家，我们可能会想起小时候祖母烤的馅饼是多么美味。当我们走进小树林，闻到松木的味道，我们可能会想起小时候我们曾踏着软软的松针走在小树林里。有些回忆甚至是痛苦的，例如踩到狗屎，或身上沾上了难闻的味道。在我家，有一次我们外出度假时冰箱坏掉了，回家后发现冰箱里所有的食物都坏掉了。尽管一位朋友在我们回家之前努力地清洗了冰箱，那可怕的气味还是好几个月都没有消散。我们每次打开冰箱，都会想起度假回家的那天。

一定要记住，孩子对周围环境中的一些浓烈的香味是非常敏感的。许多产品，从肥皂、洗发水到清洁用品、洗涤剂，都是带香味的。在孩子的身体成形的这几年，他们从周围环境中吸收的一切，包括香味，都会被以太体吸收，用于构建孩子的物质体。我们成人的嗅觉要比孩子迟钝很多，每天那些芳香的冲击对成人的影响与对孩子的影响是不同的。我们的身体已经成形了，从环境中吸收的东西不会对它造成太深的影响。

如果我们周围是好的味道，我们的整个身体会有所反应，并且对它们打开。在华德福幼儿园里，我们在做点心时会有意识地让米饭、苹果或面包的香味散发出来。孩子们会对这些香味作出反应，开始分泌消化液。

相反，如果孩子的环境中始终充满令人不愉快的气味，他可能会趋向于封闭，无法发展出对周围环境信任地开放的能力，这会对他日后社交能力的发展产生明显的影响。

味觉

消化从嘴开始。当我们咀嚼和吞咽时，味觉就开始把我们与物质联系在一起，我们吃下去的食物，大部分会变成我们身体的一部分。舌头的不同区域可以感知食物的不同特质。舌根对苦味敏感，舌尖对甜味敏感，舌两侧对咸味和酸味敏感。索斯曼博士指出，每一种特质的味道都有不同的效果，如果孩子对某种味道比较敏感，那么这种味道对他的作用就尤其明显。酸或咸的食物对一个过于梦幻的孩子有积极的唤醒效果，而甜的食物可以为伤感的孩子带来良好的感觉。苦的食物可以增强不好动的孩子的意志。索斯曼认为，我们可以利用这些规律，对体质失衡的孩子进行治疗。

味觉可以告诉我们哪些食物对我们有益。在任何时候，只要有可能，都应该食用有机水果和蔬菜，尤其是孩子。应尽可能为孩子提供各种味道，不要根据成人的喜好去调味，这样可以促进孩子的健康成长。味觉告诉我们身体需要哪些食物，过多使用盐、糖和人工香精会破坏人体的这种能力。

视觉

我们通过视觉来体验光、黑暗和色彩。在《人类经验的基础》[1]中，斯坦纳引用柏拉图的话解释说，在看的过程中，我们的视力像手臂一样伸出，抓住它所感知到的东西。

索斯曼描述了一个实验：在一个人面前放三块板，两侧的两块是橙色的，中间那块是灰色的，灰色板的中间有一个黑色圆点。这个人集中注意力看黑色的圆点，片刻之后，把三块板全都拿走。这个人在原先是灰色板的地方看见橙色的后像（after-image），在原先是橙色板的地方看见蓝色的后像。这个实验告诉我们，我们的内在将眼睛所观察到的色彩进行了转换，因此我们内心所体验到的色彩恰好是我们观察到的客观色

---

1 见《人类经验的基础》（*The Foundations of Human Experience*）中的第三个演讲。

彩的对比色。

孩子对色彩的内在体
验更加强烈，因此我们可
以用色彩来进行治疗。让
一个内向的孩子穿上蓝色
的衣服，他会感觉到蓝色
的对比色——橙色——的
活泼。让一个过于好动的

孩子体验从光中辐射出的色彩

孩子穿上红色的外罩，他会感觉到红色的对比色——绿色——的宁静。

这个实验还告诉我们，一定要让眼睛有休息的空间，这样我们才能
在内心重新创造出我们看到的东西。在华德福幼儿园，我们不会在墙壁
上贴过多的图画和装饰物，而会让墙壁上留有空白，在那里我们的视力
可以获得休息，不会因太多的图像而受到过度刺激。

我们希望孩子内在的色彩体验尽可能真实和纯净。因此，我们会尽
量使用不刺眼、不过度刺激的色彩。教室的墙壁通常刷成柔和的粉红色。
我们喜欢用薄纱窗帘遮挡自然光线，让光线变得更加柔和。

在我们的活动中，我们也利用色彩来帮助孩子发展健康的视力。我
们让孩子们画湿水彩画而不是蛋彩画。[1] 这两种画的质地是非常不同的。

---

1 蛋彩画，指用蛋黄或蛋清调和颜料绘成的画。多画在敷有石膏表面的画板上。盛行于14~16
世纪欧洲文艺复兴时代。——编者注

在湿水彩画中，孩子们体验到的是颜色发散出来的光，但是在不透明的蛋彩画中，他们体验到的是颜色反射出来的光。同样，我们让孩子们使用蜡笔画画，用纯正的蜂蜡来捏东西，因为这些材质的色彩更加醇厚。

在木偶戏中，我们用彩色的丝绸或棉布来布置场景。这些天然纤维反射出的光与合成材料是截然不同的，孩子们从中可以获得非常美好的色彩体验，从而促进视觉的健康发展。

温暖感

在《十二感觉》第四章里，索斯曼博士指出温暖感——他也称之为温度感觉——的双重特质。讲到第一个特质时，他举例说明我们如何感受温暖和寒冷对身体的影响，并作出相应的反应。我们的身体在温暖时放松，在寒冷时变得紧张、紧缩。我们需要适时增减衣物以使身体保持理想的温度。正如我们前面讨论的，对于父母和老师来说，滋养孩子身体的温暖感是非常重要的。

同样，我们也会感受到来自他人心灵的温暖或寒冷。当我们对他人产生兴趣，与其接触时，我们就是在打开自己。接下来我们会感觉到来自对方的回应。与成人相比，孩子对于他人的心灵回应要敏感得多。冷的回应使孩子后退，甚至缩回到自己的世界中，而温暖友好的回应使孩子充满热情，促使他与人

孩子很享受吃完点心后自己洗餐具

开展更多的交流。

在华德福幼儿园，老师和每个孩子之间，以及包括家长在内的整个群体之间，都会形成索斯曼所说的"心灵的温暖"。在幼儿工作中，这是非常重要的一个方面。同样，孩子们还会慢慢知道，我们是环境的照顾者。他们帮助打扫房间，擦拭、清洗，把所有东西摆放整齐。破损的玩具要么被修理好，要么被收走。我们也关心户外环境，照顾植物、树木以及户外玩耍时遇到的动物。从这些事情中，孩子吸收了这种态度，学会了彼此关心，体验到索斯曼博士所说的"心灵的温暖"。

认知感觉

听觉

耳朵有三部分：外耳、中耳和内耳。通过听觉，我们可以辨别声音，如叮当的勺子声、清脆的钟声或隆隆的鼓声。声音会给我们留下深刻的印象。孩子们无法屏蔽掉周围环境中刺耳的声音，因此，如果我们要去的地方非常嘈杂，最好把孩子留在家里，这样可以保护他们。即使作为成人，我在商场里都会觉得难受，大厅和店铺里的音乐吵得我头痛，有时让我难以作出决定。孩子的耳朵很敏感，噪音对他们的影响会更大。冬天常常有家长喜欢把孩子带到商场里去，因为那里很暖和，但嘈杂而又令人眼花缭乱的商场既超出了孩子的听觉承受能力，又超出了他们的视觉承受能力。

孩子们经常被汽车广播、CD 播放机、电视等电子类的背景声音所围绕。这些是对听觉的一种冲击。背景音乐会使孩子的注意力分散，无法专注于手上的工作，减弱了他们把注意力集中于玩耍的能力。

在华德福幼儿园，我们意识到孩子对噪音的敏感。我们以轻柔的声音说话，并通过莱雅琴、唱歌和讲故事来刺激孩子的听觉。我们希望声音的品质与孩子的发展阶段相和谐。不过，声音体验是非常错综复杂的，我们会让自然法则来帮助孩子的身体健康发展。我们不会整个上午都只让孩子听柔和的声音，有时候他们也可以发出很大的声音。不过在我们的教室里，大的声音也是自然的声音，而不是机器或电子的声音。

语言感

语言感让我们意识到他人与我们交流时使用的语言。通过语言感，我们可以理解语言工作的方式、单词和句子的构成、发音和结构的意义，以及我们如何用词句表达出内心深处的想法和感觉。下一种感觉——思想感——使我们能够判断出他人的"言外之意"。在说话交流的过程中，我们参与到语言的奇妙当中，通过话音唤起的感觉来察觉周围的世界，从而深深浸润于使用这种语言的文化和社会中。因此语言感是我们认识社会的一个关键因素。斯坦纳非常详尽地介绍了语言习得的整个过程以及语言如何从各个层面去塑造一个人。

语言的声音特质可以传递很多东西。辅音是语言的构造性元素，可以说是骨架，而元音更具有表现力。当我们彼此倾听时，这些声音传递着我们所讲的语言的文化特质。说西班牙语的人通过"yo"这个词的感觉和语气表达"我"，而说德语的人对于"我"有完全不同的概念，他们用"ich"这个音来表示"我"。每种语言都有其区别于其他语言的独一无二的特质。索斯曼举了捷克语的例子。捷克语辅音发音很重，与法语、意大利语等使用更多元音的语言相比，它给人的感觉是完全不同的。

说话是人类所独有的活动，要完全融入这种活动，需要的是人与人之间的交流。机器对人类语言的再造无法充分传达出语言真正的精髓以及词语的发音。的确，成年人听机器录音时，可以带入我们全部的生活体验，从而弥补这种声音的不真实，但孩子还不具备这种能力。在我看来，听录音会严重妨碍孩子语言感的健康发展。马丁·拉基在《谁在伴孩子长大》一书中说得非常好：

孩子通过模仿、倾听以及和真实的、活生生的人交谈来学习说话。当人们说话时，语言是有生命、有感觉并且伴随着各种动作的，孩子需要在这样的交流中领会到语言的奇妙。电视里机械的再造声音不能替代真正的谈话。我希望人们永远不要去做这样的试验，但我可以大胆假设，一个孩子不可能——或者说很难——仅仅通过电视就学会说话。

正如前面提到的，在关键的语言敏感期，看电视可能会延缓大脑语言区的发展，从而钝化孩子的语言感觉。

"妈妈，和我说话"——这样做的重要性再强调也不为过。宝宝首先听到周围的谈话，当有人和他们说话时，他们可能会听懂许多。在接下来的几个月里，他们咿咿呀呀地练习发声，并开始一遍又一遍地重复模仿某些单词。与兄弟、姐妹或父母相反，电视机不会等待他们的回应，也没有微笑的面庞和温暖的怀抱。

在孩子蹒跚学步的时候，模仿、练习和不断的重复可以帮助他掌握单词、词组以及语言的含义，在这过程中，谈话是帮助孩子语言发展的最佳途径。《小波比》（*Little Bo Peep*）或《蛋糕师傅》（*Pat-A-Cake Baker's Man*）等内容不断重复的歌谣可以帮助孩子清晰地发音，对语言产生真实的感受，并发现词语和韵律的乐趣。如果一个孩子学了很多童谣、歌曲和故事，那么他在学校里会有一个很好的开始。

华德福学校非常重视语言的艺术性使用。我们用形象化的语言来讲述故事和童话，传递出其中的精神内涵。通常孩子们需要稍微费一点力才能理解某些词语，但是在故事的上下文中，新单词对他们来说也变得易于理解了。他们开始熟悉语言在故事中的运用。圆圈时间也是这样，我们一边唱着童谣、歌曲或念着诗歌，一边做出幅度或大或小的动作，这样语言就带上了丰富的艺术特质，以一种活生生的方式进入孩子的内心。如果老师念诗或讲故事的时候能够带着真实而生动的内在图景，就可以帮助孩子理解，增强他们的语言感。

对他人思想的感觉

孩子们生活在一个充满了成人想法的世界里，他们要很久以后才能理解这些想法。随着对他人思想的感觉的发展，他们逐渐开始能够理解、领悟和想象出这些想法所传达的东西。

如果你曾去过国外，你可能会记得那种感觉——你隐约知道别人想要说什么，虽然你们之间有语言障碍。你们可能会通过表情、手势甚至各自的语言与对方说话，而且也能达成某种程度的交流。非常小的孩子生活在充满成人想法和语言的世界里，那种感觉一定非常类似。

— 我从彩虹那边来

你也许还有过这样的体验——当你解释某件事情时突然舌头打结，或者你用了一个错误的词语，但对方还是理解了你的意思。也有的时候，别人想要表达什么，却找不到合适的词语，通过对他人思想的感觉，你也许可以帮助他找到合适的词。

通过这些体验我们意识到，即使别人没有清楚表达出自己的想法，我们也可以想象出他们要说的是什么。通过这种感觉，我们可以进入别人的思想。思想感让我们超越言语彼此连接，指引我们发现同伴内心的想法和观念，帮助我们理解他们想要通过话语表达的东西。

在晨圈中，我们会用一条思路贯穿所有的诗歌、童谣和季节歌，并用动作表达出这一连串的含义。讲故事时也是这样，老师内在的思想画面将孩子带入正在讲述的故事，他们跟随这条线索，去了解不同的人物和情节。这些活动滋养了孩子对他人思想的感觉。

对他人自我的感觉

对他人自我的感觉和触觉紧密相关。在孩子小的时候，我们一次又一次地搂抱他、喂养他，与他说话。通过这些体验，婴儿的内在与他人产生了交流。一次次的抚摸和拥抱使孩子渐渐开始喜欢与别人相处。通过发展"另一个人是谁"这种感觉，孩子对他人的个性变得敏感起来。

在孩子对他人个性的感觉充分发展、意识到自己的感知之前，他们就已经在体验这个世界了。说话和做事的人是怎样的一个人？他是热心、诚实而真诚的，还是一个不关心孩子、不诚实、只顾自己的人？孩子直觉地感受到这个人真实的一面。但是幼儿的自我还没有发展到有足够的力量去保护自己，让自己不受这些消极体验的影响。于是在无意识中，孩子充满自信和信任地打开自己，去面对他人"自我"或个性的能力被削弱了。这对孩子感觉的健康发展可能会产生负面的影响。经历他人的欺骗让孩子觉得，他不能信任自己对另外一个人的感觉。他内在的感觉告诉他的东西与这个人所宣称的并不一样。当然，所有这些都发生在孩子的意识层面之下。长大后我们可能会发现，童年的经历影响着我们，使我们不能或不愿向他人敞开心扉。

斯坦纳指出，幼儿会强烈地体会到周围人的性格，因此孩子周围的人一定要非常诚实正直。老师是什么样的人比老师说的任何话都更有力度。记得多年前在一次家长会上，我曾听亨利·巴恩斯[1]说过，一名老师的教学源自于这位老师的人生观。对幼儿来说，最重要的是老师和家长要不断地自我成长，从而为他们树立积极的榜样。

总结

所有这十二种感觉是相互依存、相互关联的。我们把它们分开并进行界定，仅仅是为了能更好地了解每种感觉。显然在现代世界中有很多东西会影响这些感觉的健康发展，例如不顾孩子身体发展的限度，强行推动他们运动协调能力的设备；经过加工，加了人工香料的食品以及模

---

1 亨利·巴恩斯（Henry Barnes），纽约市华德福学校的一位教师和管理者。

拟人去陪伴孩子的电子媒体。幸运的是，人类依然有能力给予孩子真正需要的东西，帮助他们成长为会生活的成人。家长和老师可以怀着信心去养育孩子，因为我们知道，孩子会在我们的关爱中成长，发展出拥抱生活所需的所有能力。

父母的提问

家长：你能详细说明一下生命感吗？如果我们身体的某个部位疼痛，是不是生命感在给我们传递信息？

芭芭拉：是的，从手指的烫伤到头痛都是这样。如果你早晨起床感觉身体特别无力或不舒服，那就是你的生命感在给你传递信息。但大多数时候，生命感也给你带来身体健康的感觉。

你能想象如果一个孩子的生命感没有发展好会怎样吗？疼痛是最好的老师，小孩子在楼梯上摔了几次之后，就学会了扶着栏杆。

家长：生命感是不是既有身体层面的，也有心理层面的？如果孩子这段时间怕黑，这种害怕是不是也和生命感有关？

芭芭拉：实际上，我们从没有讲过生命感或任何一种感觉只关乎身体层面，而且我们也不会单独地体验某种感觉。所有感觉都是相依相存、相互作用的。因此，生命感同样涉及心理的体验。经验告诉我们，不管什么原因，孩子晚上睡得不好，第二天就有可能会发脾气，哭闹，他就是觉得难受。但是怕黑的原因可能有很多，最好请儿科医师检查一下。

家长：帕特森女士说得很好。我们的社会倾向于把信息割裂开来看。作为初为父母的家长，我们往往习惯于要么把孩子的问题归为身体层面，要么归为心理层面。

芭芭拉：我们不妨回顾一下斯坦纳关于人类本质的见解。他说人类有四个层面的本质——看得见、摸得着的物质体；把生命带入物质体的以太体或生命体，它构成我们心理图景的物质基础；让我们感觉喜悦、悲伤和欲望，并给我们推理能力的星芒体或灵魂体；最后是精神体，它承载着我们每个人的内在特性，我们称这些特性为"我"。

人的这些层面相互融合，也互相依赖。影响星芒体的因素同样会影响其他层面。影响物质体的因素也会影响生命感。回到你的问题——我们可以理解，恶梦会影响一个孩子，干扰身体健康的感觉。

家长：该如何培养孩子健康的生命感？

芭芭拉：通过健康的生活。不给生命感过多的压力就是在滋养生命感。家里始终如一的节奏，好的食物，不要吃太多的糖，足够的休息，根据天气穿适当的衣物，远离嘈杂的购物中心，限制接触媒介；我们前面所讲的一切都有助于感觉的健康发展。不去干预感觉的发展，并给予温和的刺激，就能帮助感觉健康发展。

家长：你有没有发现有的孩子在很小的时候就能表达他们的需求，

"妈妈，我饿了"或"妈妈，我想睡觉了"。而有的孩子就没有这种意识。他们只是模模糊糊觉得难受，简直难以忍受，于是他们不断抱怨，或跟兄弟姐妹打架，或者对抗一些平时很乐意遵守的要求。

家长：不同孩子对食物或睡眠的需求似乎也不一样。我有个孩子，哪怕不吃午餐，放学后依然活蹦乱跳。她好像不需要食物似的。可如果下午三点钟我大女儿的午餐盒还是满的，那么她准会满肚子不高兴。

芭芭拉：对孩子说吃完东西她就会感觉好起来，这是毫无意义的。只需要给他一些食物，放在他面前，吃完东西后他的情绪很可能就变好了。

家长：婴儿饿的时候会告诉我们。为什么大孩子不知道饿呢？小宝宝会用哭来表达饿的本能感觉，这种本能感觉哪里去了？

芭芭拉：最初的哭源于一种强烈的本能。随着孩子个性的发展和思考能力的增强，这些本能力量不如以前那样强烈了。当孩子接近两三岁时，他被周围的一切所吸引，就不再能够清晰解读自己的信号。孩子小的时候，父母会去解读他的信号。我们知道孩子眼睛木然无神时可能是快要发烧了，宝宝哭哭啼啼说明他累了。但是当孩子长大一点后，我们对他们的信号的解读也没有以前那样好了。

家长：如果因为使用学步车和弹跳座椅已经干预了平衡感，有没有治疗性的方法可以帮助两三岁的孩子建立健康的平衡感？

芭芭拉：散步可以很好地帮助身体恢复运动和平衡能力。在公园里爬栏杆、跳房子、跳绳等游戏也可以有所帮助。

家长：我最大的孩子曾经非常喜欢学步车和弹跳座椅，后来她走路非常困难。她很快就累了，而且膝盖有一点不灵活。我经常想这些症状中有多少应该归咎于弹跳座椅。她是一个非常"外部空间"的孩子，弹跳座椅让她感觉好像在飞。当然，在那个时候我们不知道让她做自己喜欢的事会对她们的将来有那么大的影响。

家长：那么芭蕾或有组织的体育运动可以帮助孩子发展运动感吗？有的家长感觉到他们的孩子那么渴望参与有组织的体育运动，甚至在三岁的时候就已经是这样，他们不得不让孩子参与那种运动。

芭芭拉：这些有组织的活动让孩子进行非自然的运动。孩子不会像跳芭蕾那样用脚尖走路，也不会像成人踢足球那样使用他们的腿和脚。有组织的运动锻炼肌肉的方式与孩子正常走路、奔跑、跳、爬是不一样的。

— 我从彩虹那边来

第五章

创造性纪律

什么是纪律？它与我们所说的"孩子的天性是模仿"有何联系？孩子热爱模仿，他们看见成人做什么，自己也会情不自禁地做什么。他们不知不觉地参与到周遭的生活中，重复成人的话，模仿成人的行为，唱大人唱给他们的歌。在鲁道夫·斯坦纳看来，这种模仿绝不是单纯地学习各种行为，它们进入孩子更深的内在，影响孩子的消化过程，影响他们内在器官的发育和功能。[1]

模仿和自律

处于模仿阶段的孩子会吸收周遭环境的每个方面，变成自己内心深处意志的萌芽，所有这些都发生在意识层面之下。

1　见鲁道夫·斯坦纳《精神科学入门》（*At the Gates of Spiritual Science*）第6讲。

自出生以来，孩子就受到父母以及周围其他成人的强烈影响。成人在孩子面前所做的事情决定着他们的成长和发展。如果在孩子的生活环境中，有一些事情定期重复，这些事情就会变成习惯。孩子本能地去模仿大人，模仿他们所看到的一切，就像我们大人看见别人打哈欠自己也会情不自禁跟着打哈欠一样。

　　这告诉我们，要让孩子遵守纪律，最有效的办法就是孩子周围的成人要进行自我教育。埃里希·嘉伯特（Erich Gabert）在《教育与青春期》（*Education and Adolescence*）一书中对老师们说：

　　孩子的成长和发展暗暗跟随着老师的成长和发展。因此，老师能取

孩子喜欢模仿成人

一 我从彩虹那边来

得多大进步，学生就能取得多大进步，教育就是这样发生的。教育和自我教育是一体的，认识到这一点，老师就不会觉得难以胜任自己的工作。问题不在于我们已经走了多远，可以取得多大成就，而在于我们是否在不断努力。我自己能够收获多少，就能给予孩子多少。

在《童年的王国》（*The Kingdom of Childhood*）一书中，鲁道夫·斯坦纳指出，孩子在七岁前实际上是一个观察者。如果有人对着孩子或当着孩子的面发脾气或暴怒，这个暴怒的图景会深深进入孩子的内心，由此产生的内在图景会进入孩子的血液循环、呼吸和新陈代谢，所有这些结果——在斯坦纳看来——会一辈子留在孩子身上。我们在孩子面前所做的一切都会深深植入孩子的内心。责骂、威胁和喊叫不能帮助幼儿建立规矩，实际上，这些方法会减弱他们以后面对生活的能力。这些体验带给他们轻微的害怕，如果害怕经常发生，孩子们就会竖起屏障来保护自己。他们的心灵变得坚硬起来，我们会发现似乎很难进入他们的内心。

如果我们对孩子说教，他是不可能听进去的，因为他一定会竖起一道屏障来对抗我们传递出来的怒气。这道屏障使他无法思考我们传达给他的信息。他学到的是表达怒气，远离他人，并对那些让他不高兴的人说教。

重塑空间

在华德福幼儿园里，孩子调皮捣蛋时，我们通常会认为他们暂时"不在状态"。我们如何重塑他们周围的状态呢？我发现许多办法都很有效。

例如，如果一个孩子在点心时间大声吵闹或表现得十分顽皮，我就站在他后面，帮他扶正椅子，摆正餐垫，放好杯子和盘子——换句话说，我要"重塑"他周围的空间。

如果游戏时间发生这样的事情，我首先检查一下，看是否有布娃娃或布偶掉在地板上。布娃娃对幼儿来说是人类的象征，如果布娃娃在地上，可能被人随意践踏或踢到一边，孩子就会看见一个混乱的人的图景。检查完布娃娃和布偶后，我开始"重塑"主要的游戏区域——擦去架子上的灰尘，把一切摆放整齐，拾起其他那些没有放好的玩具。然后我们开始布置一张漂亮而有秩序的点心餐桌。很多时候仅仅通过这样的活动就能让一切恢复和谐，老师不用对把游戏变得混乱的孩子直接说什么或做什么。如果个别孩子确实有困难，我会把他的头发弄弄整齐，为他塞好衬衫或重新系一下腰带。

如果我们把"不可以"留到孩子做危险的事情或毁坏他人物品的时候说，他们会更愿意听，因为这才是真正需要说"不"的时候。如果我们过于频繁或随意地说"不可以"，孩子们很快就学会了听而不闻。如果我们老是说"不可以""不能做那个"或"住手"，孩子们会停下手中的游戏，带着被过早唤醒的自我意识，看到自己在做什么。但如果我们只是给他们一些建议，告诉他们怎么去玩某个玩具，就可以转移他们的能量，让游戏不中断地继续下去。

有一天在幼儿园里，孩子们在玩耍，我在熨烫吃点心用的餐垫。两个小女孩正在玩编织的动物玩具，不一会儿，她们开始把玩具扔向空中，于是我拿了个羊毛球给她们。这暂时转移了她们的注意力，她们开始扔球，

— 我从彩虹那边来

我继续回去熨烫。不久，她们把球放下，又开始抛起动物玩具来。这时候我已经熨好最后一个杯垫，我一边关注着她们，一边收好熨斗和熨板。

然后，我从架子上拿下一个大的玩具马厩，提议她们来给小动物搭个家。两个女孩帮我搭好马厩，并在我的建议下找到一些合适的碗，用来装食物和水，接着又取来一些小石子和果仁当食物。我们继续扩大游戏的场景，找来一块蓝色的布当河，在河里放入羊毛毡做成的小鱼。到这个时候，我就不再直接干预她们的游戏了。

我没有对孩子们说"不要那样玩动物玩具"，而是帮助他们以一种正向的方式来玩这些动物——我向他们展示了可以怎样玩。我也注意到，我对这件事情的处理影响了房间里玩耍的其他孩子，他们的游戏也变得更加和谐了。

清晰的信息和有限的选择

我们和孩子的交流要简单明了。如果我们以提问的方式要求他们，就造成了混乱。"把你的衣服挂起来怎么样？"或者，"现在，你能把衣服穿上吗？"或者，"你愿意把鞋子穿上吗？"这种说话的方式实际上是在暗示，他们可以选择服从我们的要求或不服从。当我的儿子大约六岁的时候，我体验到这种不明确的说话方式的后果。一天我对他说："难道你不愿意打扫你的房间吗？"他变得非常烦躁："如果我说不，你会很生气。"

几年前，在学校放假的时候，我听到了另一种类型的含糊问话。一位妈妈对大约两岁的女儿说："你想在这里吃饭呢，还是回家吃饭？"小女孩没有回答，妈妈再说一遍，"你想在这里吃饭呢，还是回家吃饭？"小女孩仍然没有回答。父亲询问怎么回事，妈妈告诉了爸爸。爸爸接着问："你想在这里吃饭呢，还是回家吃饭？"小女孩开始哭泣。妈妈说："她累了。我们回家吧！"很明显，要求孩子为全家做出决定，使她感到负担太重。

同样，当我们问小孩子想吃什么，他们的感受就像我们走进一家餐馆，面对琳琅满目的菜单。这种时候做决定会是一件非常困难的事，甚至对成人也是一样。孩子小的时候，我们住在宾夕法尼亚的匹兹堡市，每次路过宾夕法尼亚的付费公路时，我们习惯把车停在霍华德餐馆门口。孩子们通常要吃冰淇淋，尤其天热的时候。我问他们想要哪种口味的。餐馆的广告上写有 28 种不同的冰淇淋，每次进餐馆后，儿子保罗都要听我念 28 种冰淇淋的名字。那么多的选择一定把他弄晕了，最后他总是说："我想要香草味的。"

询问孩子想穿什么或想做什么，在孩子内心会产生一种类似的感觉。我们过早地呼唤出孩子个性中"我要"的部分。他们越来越意识到他们喜欢的和不喜欢的。当他们吃饭、穿衣、上床或和妈妈一起去商店时，"我要"变成了他们词汇的一部分。一些社会问题就是由此而来的。在超市，我们都亲眼看到过或亲身经历过这样的场面——"我要"饼干；"我要"糖果；"我要"那种赠送玩具的麦片。

长远来看，给予孩子选择孕育了自我主义：他们变得以自我为中心，对别人的需要不敏感。给幼儿提供过多的选择，就像给他们的心灵投放了一剂毒药。孩子们长大以后也许就不想做生活要求他们做的事情——作业、家务劳动，或花园里的杂活。孩子进入青春期之后，我们和他们之间的冲突，有很多都是这种以孩子为中心的养育模式直接导致的。这种投其所好的方式，只会令孩子没有安全感和永不满足。

在一次面向家长的讲座中，尤金·史华兹[1]幽默地阐述了这种窘境，从孩子早上起来的那一刻，家长就给予他数不清的选择。

早上好宝贝。你想穿什么衣服？

无袖的运动衫、短袖衣服还是长袖衣服？

喇叭裙、粗斜纹棉布裙还是有花的裙子？

短裤、卡普里短裤、运动短裤还是一般短裤？

短裤和衬衫？好的。哪一件？

红的、蓝的、绿的、条纹的、格子花纹的，还是格子花呢短裤？

直筒的、喇叭的、紧身的还是普通的牛仔短裤？

背心、高领的、短袖的，还是长袖衬衫？

带卡通人物、超人图案还是无图案的衬衫？

---

1 尤金·史华兹（Eugene Schwartz），一位有经验的华德福教师、演讲者和作家，现任纽约州切斯约特里奇市桑布里奇大学（Sunbridge Collage）华德福教师培训部的主管。

100% 纯棉、棉和聚酯混纺的、棉加上合成弹力纤维的，还是斯潘德克斯弹性纤维的？

让我们来吃早饭。今天你喜欢吃什么？

橘子汁、草莓汁、葡萄汁，还是芒果橘子番石榴汁？
含有果仁或蜂蜜或红糖或有机水果的格兰诺拉麦片？
掺有 1%、2% 豆浆的牛奶，乳酪，还是低脂肪酸奶？
普通或焦黄的英式松饼，还是百吉饼？

这个单子越来越长。观众席里的家长意识到他们自己正是如此，他们爆发出来的笑声几乎淹没了尤金的声音，而这时他才说了一半。

我们是怎样落入这种陷阱的？我们中的有些人，从小在父母的严厉管教下长大，因此不愿再让孩子接受这种管教。但钟摆可能又过于偏向另一个极端，导致太少的约束，太多的混乱。许多孩子正遭受缺乏限制带来的折磨。

有魔力的词：可以

有一个魔法词，不专制不纵容，对孩子很有效，这个词就是"可以"。"你可以把外套挂起来。"它不包含任何需要孩子回答或可能被孩子忽略的问题。"可以"这个词会让孩子觉得自己拥有特权。"你可以把靴子放在垫子上。"

我也曾听家长对孩子说"你可以把外套挂起来",可接着又加上一句"好吗?",一下子力量就减弱了。这是为了让一个似乎很苛刻的要求听起来柔和一些吗? "好吗"是什么意思? 如果不好,是否意味着孩子不必去做了? 孩子到底是可以选择,还是不可以? 这会给孩子造成混乱和不安全感。当孩子知道父母、老师和看护人知道什么对他是最好的,他会觉得安全。

　　我们幼儿园里的一个女孩的妈妈给我讲了下面的故事。一个深秋的早晨,她正准备带着两个孩子去学校,和往常一样忙乱地用早餐、打包午餐、提醒孩子们需要快点走,不然会迟到。因为夜里明显降温,妈妈告诉女儿要穿上毛裤。女儿抗拒并开始争吵。由于感觉时间紧迫,妈妈让步了,但把毛裤夹在胳膊下带着。

　　很快汽车从家开出去了,妈妈听到女儿在后座上轻声抽泣,就问怎么了,小女孩说:"我冷。"

　　你可以想到接下来发生了什么。"我告诉过你外面冷,你要穿上毛裤,"妈妈回答道,"你就是不听我的!"

　　小女孩刚开始没吭声,过了一会儿她说:"可你是我妈妈,你应该知道怎么做对我最好。"妈妈把车开到路旁,帮女儿穿上了毛裤。

　　斯坦纳在这一点上说得更深入,他说对孩子伤害最大的,莫过于给孩子一个指令,告诉他必须做什么,然后又改变这些指令。他指出,成人不清晰的思想会给孩子造成混乱,现代文明社会有这么多成人患所谓的神经疾病，其根源就在于此。斯坦纳说这些话是在 1923 年!

如果我们告诉孩子可以做某事，或不可以做某事，孩子却大发脾气，那我们该怎么办呢？我们如何回应对孩子最好呢？如果我们保持平静、安静而自信，孩子会吸收这种态度，再次恢复稳定。如果我们努力做到自律，孩子会吸收我们的态度，一切会恢复和谐。如果我们对孩子讲道理，告诉他们我们为什么要他们做某事或不做某事，就会过早地唤醒他们的思考能力和智力，将他们过早地从童年的梦幻世界中拉出来。通过模仿，他们开始反过来和我们讲道理，而且会非常擅长此道。鲁道夫·斯坦纳认为，只有在孩子将近五岁的时候，才可以唤醒他的是非观。

节奏

前面我们提到了节奏的重要性以及节奏在幼儿生活中扮演的角色。节奏同样可以帮助我们维持纪律。就像心脏的跳动或太阳的东升西落，教室里的节奏可以让孩子保持安全的平衡。如果我们能够在有节奏的重复中度过每一天，每一周，我们外在的活动就能与孩子内在的潮起潮落达成共振。

疗愈孩子的行为

但是实际上，我们如何处理那些不能接受的行为呢？我们如何对待打人、咬人、抓人、踢人或向人吐口水的孩子？如果孩子用手打人，我们可以用丝绸缠住孩子的小手，并让孩子坐在我们身边，直到他的手变得温暖。告诉他："如果你的手很温暖，很有力，它就不会打人。"如果孩子用脚踢人，我们也这样对待他。如果孩子咬人，可以给他一大块苹果或一根胡萝卜，让他坐在老师旁边，把苹果或胡萝卜吃下去。"我们咬胡萝卜，而不是朋友。"对于抓人的孩子，可以拿出"治疗篮"，为孩子修剪指甲。"小猫抓人，小孩子可不抓人。"如果孩子向人吐口水，可以把他带到卫生间，让他朝马桶里吐口水。

对于游戏时有粗暴行为的孩子该怎么做呢？很多父母会和这类孩子一起打闹，认为这样可以"把这些行为释放掉"。但是游戏中的粗暴行为并不是藏在抽屉里的，不是轻易就能清空的。真正的劳动——在花园里干活，挖坑、搬石头、运木头等——能治疗粗暴行为。通过这些有目的的劳动，孩子混乱的意志会逐渐变得和谐。许多运动，像游泳、远足以及冬日里玩雪等，同样都会有所帮助。

随机应变

在两岁至四岁，孩子会非常执拗。在这段时间，当孩子说"不"，我们最好忽略，带着孩子去做你要他做的事情就好了，不要生气，也不要做太多的解释。要对他的发展有信心。如果说过要他做什么，不要放弃，也不要允许他讨价还价或摆脱任务，否则他会知道你的弱点，一次次地"按那个按钮"。

有时候，我班上那些大一点的、秋季要进入一年级的孩子会开始强烈地挑战规则。我发现有时最好后退一点，给这个孩子一点空间。在我明确表明他需要做什么事情之后，我会继续我的工作，同时也关注着他。如果我一贯说话算话，孩子也知道我还会来检查，他通常就会按照我说的去做，尤其是当他感觉到我的温暖和爱包围着他时。这比语言和意愿的较量效果要好得多。

老师和父母需要成为好的倾听者。当孩子与同学或兄弟姐妹有矛盾时，如果他可以向你描述发生了什么，并感觉到你真的在全神贯注地倾听，那么对他来说真的会很有帮助。接下来，通常只要说"你可以告诉约翰你不喜欢那样"就够了。

我记得有一个晚上，我讲了关于纪律的话题。一切都很顺利，家长们看上去很赞赏我的建议，我们还就纪律这个话题进行了热烈的讨论。我对于这个晚上很满意。可紧接着就发生了一件事。

第二天上午，两个四岁的女孩在放有玩具小房子的区域玩耍着。突然她们大声争吵起来。我听到一个孩子说："我爸爸造的房子比你爸爸造的要好！"她的爸爸碰巧是个建筑师。另一个女孩开始大声叫嚷，说她爸爸什么什么做得更好。接着我又听到其中一个孩子说："我去告诉老师！"

当时我正在和一个六岁的孩子在桌边工作，两个女孩跑了过来。她们怒气冲冲、互不相让地同时讲述所发生的事情，彼此都在指责对方。我认真听着，想要说点什么或做点什么来转移她们的怒气。要知道，头天晚上我还在就纪律话题大谈特谈！可那一刻我却没有任何灵感。我内心一片空白，头天晚上良好的感觉顿时无影无踪。

正在那时，站在我旁边的那个六岁孩子用非常平静的声音说："哦，回去重新开始吧。"两个小女孩互相看了看，说："好吧。"然后就转身走回小房子区域，继续玩她们的游戏。显然，获得倾听之后，她们开始乐于接受那个六岁孩子提出的简单的解决方法，她们之间又恢复了和气。

有时候，某个孩子想要一些石子或盘子玩过家家游戏，而另外"一家人"却拿走了过多的游戏材料。于是我建议这个孩子拿一个碗或篮子去敲邻居的"门"，向他们借一些盘子或石子。这让请求变得难以拒绝，通常都会获得积极的回应。

如何对待"小告密者"呢？如果这种事情经常发生，也许就意味着小告密者遇到了某种困难或不善交往。我们如何去帮助这个孩子？我们让他加入我们的工作中，不是作为惩罚，而是为了让他感受到老师如何发挥创造性的力量去完成某项活动。如果我们在缝东西，就找一块漂亮的布，让他也来发挥创造力，做个东西出来。在这种情况下，洗碟子也有很好的效果。在我们装绘画颜料用的婴儿食物罐中倒入热的肥皂水并来回摇晃，这不仅很好玩，还能抚平孩子的恼怒情绪。烤饼干也能起到很好的治疗作用，在整个过程中，孩子需要为全班同学准备适量的面粉，还要搅拌和揉面。

发挥正向的力量

有的时候，某个孩子只是需要我们抱着他，在摇椅上坐一会儿。或者，如果某个孩子明显累了，我们会在沙发上为他铺张床，放一个枕头，用一些棉布当毯子，一群"护士"通常会围在孩子周围照顾他，这样他就再次融入了游戏的情景之中。批评、责骂或轻视孩子没有用。如果我们经常这样做，孩子可能要么以看似被动的方式拒绝我们，要么变得更加有攻击性。用正向的、鼓励性的语言帮助孩子建立良好的自我感觉永远是更好的选择。

灵性的指引

在纪律方面，最大的帮助来自于老师所做的灵性功课，这是我前面提到的自我教育的一部分。多年来，我体验到，如果我带着每个孩子的难题入睡，向这个孩子的天使寻求帮助，第二天和那个孩子相处时正确的想法、正确的词和正确的行为就会出现。这样我能以正确的方式纠正孩子的行为，让孩子有机会发展并实现自己最大的潜能。

结论

最后，我想描述一下我的亲子课上的一位妈妈和她的两个孩子之间所发生的一件事情。这位妈妈的大儿子三岁，固执而又精力充沛，他的小弟弟大约六个月。在亲子课的讨论时间，纪律是一个永远说不完的话题，作为老师和家长，我们讨论当两三岁孩子表现出顽强的意志，给我们带来极大挑战时，我们应该怎么做。讨论之后，我决定利用晚上的时间与家长们开一个讨论会，主题是"引领零至七岁孩子的意志"。

讨论会开始后不久，前面提到的两个男孩的妈妈就讲了那天发生在她身上的事。那天下午的外出时间，她带着孩子们到公共图书馆去，刚到不久，三岁的大儿子就开始在走廊里跑来跑去，把一切都弄乱，打扰了每一个人。

这位妈妈能怎么做？她的小儿子在婴儿车里，所以她没办法去追大孩子。她叫他，他就像没听见。她决定把小儿子和婴儿车放在一边，跑去追大孩子。大儿子以为这是个好玩的游戏，跑得更起劲了。当她终于追上并抓住他时，他大声反抗，扭动着身体要挣脱。当她回到小儿子那里时，几个大人正围着婴儿车，怀疑这个宝宝是不是被遗弃了，并商量着要报警。

此时，这个妈妈已经心烦意乱。她三岁的儿子仍在她怀里又打又踹，被吵闹声和激动的氛围吸引来的围观人群越来越多。她告诉大家，她是宝宝的妈妈，宝宝当然不是被遗弃的。然后她尽可能以最快的速度离开了图书馆。回到家，她给正在上班的丈夫打电话，倾诉自己的受挫经历，要他马上回家照看孩子，她已经黔驴技穷了。

丈夫温柔地提醒她，几个小时之后她就可以去学校参加家长讨论会，建议她再坚持一会儿。

那天晚上当她讲述这个故事时，我们都给予她支持和理解。所有家长都曾有过类似的经历，他们精神崩溃，精疲力竭，感觉没有信心去做个好父母。通过分享这些挑战，老师和家长们感觉到彼此的支持，并从他人的经验中获得启发。但是我们应该记得不要对自己太苛刻，从我们的努力中，孩子们也同样会获益。

我相信真正的纪律在于引导孩子从模仿走向自律。为了做到这一点，我们要建立和保持合适的游戏空间，去滋养孩子的想象力，要在沟通时传达清晰的信息，给孩子有限的选择，要每天都建立一致的节奏，要用真实的劳动去化解愤怒，还要用正向的力量去帮助孩子建立自尊。

父母的提问

家长：你所说的非常有道理。可是我有好几个孩子，他们都很小，我发现很难有时间退后一步去想想怎样在家中做些改变，以减少和孩子间的不愉快。我还处在一种战斗的状态中！

芭芭拉：父母带孩子总会有一些不顺利的时候。孩子睡觉以后，可以回想一下白天所发生的事情，问问自己："是什么引起了那次爆发？"反思一下，看自己能从中学到什么，下次如何提前预防这种事情的发生。今天的事情过去就过去了，但类似的局面还会再次出现，因为孩子喜欢一次次带给我们同样的挑战。他们知道我们的弱点，知道怎样"按我们的按钮"。反思某个特定的挑战，下次就能从容应对，这对我们非常有帮助。

94

——我从彩虹那边来

家长：我们有三个孩子，他们年纪都小。大家坐在餐桌边一起吃饭的时候真叫人头痛，一点都没有愉快的氛围。

芭芭拉：这个阶段会过去的。孩子还这么小，你不可能整个晚餐都维持宁静的氛围，但可以朝着理想的状况去努力。一定要用鲜花和餐垫把餐桌装饰漂亮。也许宁静的氛围只能维持几分钟，但你已经迈出了第一步。就目前来说，只要有小小的改变，你就应该感到自信。那真的足够了。

家长：我以前参加过一次讲座，讲座之后我试着对女儿用"可以"这个词，效果非常好。"你可以把它清理干净。"我对她说。比起"你怎么可以这么做？我刚清扫完地板！"这样说有效多了，她很快就按照我说的去做了。真是太棒了。

家长：如果大声对孩子叫嚷"按妈妈说的做"，孩子会不会接受？无论文化或家庭习惯如何，大声叫嚷总是有害的吗？

芭芭拉：我相信叫嚷对于任何孩子来说都是有害的。当家里有人叫嚷的时候，孩子为了保护自己会让自己的心灵变得坚硬起来。他竖起屏障是为了不让叫嚷深入他的内在。之后，我们作为家长和老师会感觉到，当我们与孩子说话时，他很难听进去。

家长：孩子躁动不安，无法专注地游戏，该怎么办？你怎么对待那些十分好动、每天都处于亢奋状态的男孩？

沿着坑的边沿把土踩紧是让孩子满足的工作

芭芭拉：试着让孩子和你一起工作。真正的工作对孩子非常重要。他们能够区分什么是忙着完成任务，什么是真正的工作。

你可以让孩子和你一起做家务，例如洗碗、切水果、切菜等，这样他可以有时间安静下来并模仿你所做的正向的工作。之后当他独自或与他人一起游戏时，这种模仿会体现在游戏中。真正的工作可以把混乱的意志变得有序。

我在家里办幼儿园的时候，后院里有一棵需要移走的老树。孩子们都非常高兴能帮我丈夫做这件事情。每次当一切准备就绪，他们可以安全地帮忙时，他们就会沉浸在劳动中。我丈夫把树砍下搬走后，挖了一个很大的坑，把剔下的树枝埋在里面。孩子们用小桶装满土，填进那个

—— 我从彩虹那边来

大坑，然后沿着坑的边沿把土踩紧，他们干得非常开心。有时我丈夫还让孩子们坐在独轮车上，推着他们走，推的和坐的都兴高采烈。干完活以后，孩子们的衣服上总是沾满了土，但没有一个爸爸妈妈会抱怨。幼儿园里很多家庭吃晚饭时都会聊起这棵树，孩子们也从工作中得到了莫大的满足。

坐独轮车也很好玩

用每天的晨圈时间，我带着孩子们唱了很多伐木工的歌曲，读了很多这方面的韵律诗，这项工作也因此而带上了艺术的气息。那个时候我似乎觉得，每个幼儿园都应该砍倒一棵树，或做一些类似的园艺工作。

家长：如今的孩子需要更多的纪律吗？好像现在的孩子不像以前的孩子那样遵守规则了。这是我们的生活方式造成的吗？

芭芭拉：我觉得如今的孩子带给我们的挑战确实比前几代的孩子更多。我小的时候世界比现在小。家庭、社区和国家的传统对孩子和年轻人的行为都有很强的影响。我母亲不开车。白天父亲上班去了，没有人开车带我们去任何地方，如果我们想去某个地方，就只能走着去。我们家没有电视，如果我们想娱乐，只能自己想办法玩。

但是我们无法回到过去，大多数人也不想回到过去。我们担忧的是，孩子在一个快速变化的世界中成长，现代科技会剥夺他们的童年。电视、电影，复杂的广告技术都在影响着孩子，孩子从小就在世界各地旅游，这一切都扩大了孩子的世界，带给他更多家庭以外的体验，而对于这些体验，我们越来越难以掌控。

即使我们的孩子不看电视，不用电脑，他们也可能会和那些看电视、用电脑的孩子一起玩。他们会看到朋友以攻击性的甚至不诚实的方式对待父母，并决定在家里试试。对此没有简单的答案，但一致的规则和健康的家庭生活确实会有所帮助。我相信每个孩子以及每一个成人都有一个守护天使，她保护我们，引导我们去完成自己的使命。如果我们信任这种帮助，在养育孩子的过程中就会有一种精神的力量，我们的孩子会感觉到这种力量。

家长：从小到大，我自己的生活就缺少自律，现在我怎样才能让孩子养成自律的习惯？在自律方面，我无法成为孩子的好榜样。

芭芭拉：练习自律永远不会太晚。生活赋予我们许多机会，只要我们努力，我们的孩子同样会从这些努力中获益。

家长：当代许多出版物都告诉我们，给孩子选择的权利可以增强他们的能力。大家可能一直在这样做，现在应如何补救？

芭芭拉：开始的时候可以给孩子有限的选择，例如在红外套和蓝外套中选，尤其是如果孩子已经习惯了有很多选择的话。给孩子无限制的选择最终会导致他们以自我为中心。他们喜欢什么，不喜欢什么，想要

— 我从彩虹那边来

什么，不想要什么，这些成为注意力的中心，并导致了自我中心。如果大人总是问孩子想要吃什么，想穿什么，想做什么，他们会变得更加关注自己，而不容易关注他人的需求。

家长：我们怎样以一种鼓励而不只是批评的方式对孩子说话呢？

芭芭拉：纪律永远不应该成为我们怒气的出口，纪律是为了引导孩子在成长过程中形成自律的习惯。我们要始终看到孩子正向的一面。我们希望他们长大后成为鲁道夫·斯坦纳所说的"能找到生命目标和方向的自由的人"。

第六章

芭芭拉的亲子课

过去三年里，我一直在伊利诺斯州艾维斯顿市的大橡树学校担任亲子课教师。这些课程针对两岁半到四岁的孩子，每周上一次课，每次两个小时。课程设置和幼儿园类似，只不过幼儿园里是三至六岁的孩子，而且没有父母的陪伴。

很多家长是第一次体验华德福教育。我们为家长安排了提问的机会，家长也可以观察老师如何让有韵律的节奏贯穿整个上午，如何带领孩子参与湿水彩、捏蜂蜡等艺术性的活动，在此过程中进一步了解华德福教育。孩子们也会参与到实际的工作中去，例如烤面包、布置餐桌、清洗碟子、在每次课程结束时收拾玩具等。家长、老师和孩子们满怀热情和喜悦地参与到这些简单的活动中，彼此建立起心灵的连接，人际关系变得美好而丰富。

亲子课通常在上午，从 9:30 开始。9:45 的时候我们开始做晨圈。随着一首首的季节歌谣、童谣和韵律诗，一个小小的故事展开了，大家一边唱着歌、读着童谣，一边做身体动作，从头到脚活动着身体，生动地演绎着这些歌谣。在诗歌和歌谣的上下文中，新词汇变得很好理解，孩子的语言能力得到了提高。晨圈之后是自由游戏时间。孩子们给布娃娃喂饭，用木质游戏架、棉布和晾衣夹搭建房子，在地板上使用木刻或针织动物以及不规则的木块或布创建游戏场景。我们使用的大多是游戏材料而非用途明确的玩具，这给孩子们留下了很大的空间，可以激发他们的想象力。

木制的树屋和城堡激发了孩子之间的互动游戏。他们开始发展社交技能，例如学习分享、等待他人正在玩的某个玩具。对于这个年龄的孩子来说，这些可能会很困难，有时老师需要帮忙。家长这时可以体会到老师是如何解决这种纪律问题的。

与此同时，家长开始投入到他们的工作中——学习如何制作华德福玩具，做简单的手工，准备上午的点心，所有这些都是当着孩子的面做的。家长间轻声的谈话在教室里营造出一种愉快的氛围。我们知道幼儿主要通过模仿来学习，他们会吸收教室里的氛围、成人工作的姿态以及专注的态度。所有这些会给他们的工作——也就是我们所说的游戏——带来灵感。

孩子游戏的时候，父母也可以做前面提到的某一项艺术性工作或实际工作。有的孩子想要去帮忙，而其他孩子可能会继续游戏。十点半钟，家长们放下手工活，开始把餐桌布置得漂漂亮亮，准备吃点心。每个人都洗了手，坐在餐桌前。我们感谢大地和太阳带给我们食物，大家拉着手说："感谢美味的点心！"

吃过点心，有的孩子回去继续游戏，有的孩子帮助我的助手清洗餐盘。这给了我十五到二十分钟的时间和家长一起就某个话题进行讨论。话题可能来自我们正在读的一本书，前一周我发给大家的手工材料，或是某个家长所提的问题。然后我们大家一边唱一首清洁歌，一起收拾玩具。上午的活动以偶戏和再见歌结束。

每十周我们至少会有一次不带孩子的家长聚会，这样的聚会上我们奢侈地享受着不被打断的谈话。

家长们说这个活动丰富了他们的家庭生活，他们从中获得灵感，在家里庆祝节日，巧妙地让孩子加入家务劳动。他们在这里结交新朋友，这样的友谊通常会持续多年。他们感到养育孩子的工作是被尊重，受支持的。我们每周会给家长发送学校简讯，并邀请所有家长参加学校的节庆和筹资活动，在这样的过程中，我们以学校为核心建立起一个更大的社区，每个人都和这个社区有了初步的联结。

亲子课的时间和节奏

(周二和周三上午　9:30—11:30)

9:30	到达
9:45	晨圈
10:00	孩子们的创造性游戏 家长的活动——可以是准备点心、做手工或做其他工作，或者和孩子一起烘焙、画画等
10:30	点心和谈话
11:00	收拾清洁
11:15	偶戏
11:30	再见圈

家长活动中的其他工作包括：

缝补衣服

砂纸打磨

修理玩具

清洗餐垫

扫地、掸尘、擦桌子和熨烫

歌曲和童谣[1]

◦ 洗手歌 ◦

伸出胳膊挽挽袖子打开水龙头，

抹抹香皂搓出泡泡脏脏不见了，

噢，你看我的小手，

噢，你看我的小手，

脏脏不见了。

◦ 餐前感恩词 ◦

大地供我们种植，

太阳让花结果实，

感谢大地，感谢太阳，

我们真心地谢谢你们。[2]

◦ 再见圈 ◦

（歌曲）听，孩子们甜美的歌声，

像那天使在歌唱，

银铃般的声响，高高低低，

在天空中回荡。

---

1 大多数华德福老师都知道为数众多的和孩子们在一起时使用的歌曲和童谣。由于是在老师们之间口口相传，许多歌谣最初的来源往往已不为人所知了。

2 选自克里斯提娜·摩根斯特恩（Christian Morgenstern）所著《赐予我们食物和大地》（*Earth Who Give Us This Food*）。

── 我从彩虹那边来

（童谣）头顶的天堂，脚下的大地，

天使飞翔于其间，

我坚定地立于地上，

挥动手臂，说：

"朋友们，再见，我们下次再见。"

其他歌曲

○ *我们绕过桑树丛* ○

（唱）我们绕过桑树丛，

桑树丛，桑树丛，

我们绕过桑树丛，

在这样的清晨。

（白）我们这样洗衣服，

我们这样扫灰尘，

我们这样擦地板，

我们这样洗脸，

我们这样梳头发，

我们这样系鞋带，

我们这样去学校……

○ *我可以够到这么高* ○

我可以够到这么高，我可以摸到天空。

我可以够到这么低，我可以摸到脚趾。

我可以转圈圈，转一圈又一圈，

然后静静坐下来，坐在地板上。

华德福幼儿园的生日故事

混龄幼儿园的生日故事

芭芭拉·帕特森讲述

从前，在一个遥远的地方，住着一个天国的孩子。他在月亮的小屋里工作过，在星星的小屋里工作过，又在太阳的小屋里工作了很长一段时间。每当他在一个小屋里完成了工作，他就会得到一件礼物。

有一天，他正和他那些特别的朋友在一起，突然云朵分开，他看见云彩下面有一颗美丽的圆宝石。他正要仔细看，云朵又合拢了。他把这件事情告诉一位他感觉很亲切的天使。"你看到的是地球。"天使说。"我可以到地球上去吗？"孩子问。"可以，但现在还不是时候。"天使回答。于是这个天国的孩子继续和朋友们在一起，继续做着天国里的工作。

一段时间之后，云朵又一次分开了，这一次，天国的孩子看见了地球上所有的彩虹颜色。他看见蝴蝶在访问花朵，鸟儿在空中飞翔。他们似乎在对他说："快到我们这里来吧。"他看见鱼儿在河里游来游去，大地上满是各种各样的石头和花草树木。他还看见地球上的孩子在爬树，在草地上奔跑、跳跃，踏着干枯的树叶，发出清脆的声音。这一切实在是太美了！

他看见地球上的爸爸妈妈在辛勤地工作着。他们当中有的是农民，有的是建筑师，还有的是面包师、鞋匠和商店主。他看见这些爸爸妈妈温柔地照顾着自己的孩子。然后他看见了一对夫妇，他们充满爱心，非常善良。"哦，我要到他们那里去。"他告诉天使。可是天使回答说："现

— 我从彩虹那边来

在还不是时候。你必须先穿过梦的国度。"

于是天国的孩子走过了一段长长的旅途，穿过了梦的国度。他做了一个美妙的梦，梦见了那对特别的夫妇，他非常爱他们。在梦里他说："我想成为你们家的孩子。"女人露出温柔而又欢喜的笑容，男人点点头，发自内心地回答："好的！"天国的孩子把这个梦告诉天使，天使说："现在你已经准备好了，可以上路了，我会一直陪伴着你。你从太阳、星星和月亮那里得到的礼物会帮助你完成在地球上的使命。"

在天使的陪伴下，天国的孩子跨过彩虹桥，走下螺旋楼梯，来到一扇大门前。就要离开美好的天国了，他有一点担忧。可是内心的勇气和天使的陪伴帮助了他——他穿过了那扇门……（停顿）一个小宝宝降生在地球上。他睁开眼睛，看见了梦中的那对夫妇。"这是我们的孩子。"他们说，"我们要叫他_____（过生日的孩子的名字）。"

孩子们，在_____（这个孩子的年龄）年前的今天，_____（过生日的孩子的名字）在地球上诞生了。当他完成在地球上的使命，他会得到一份礼物，并将这份礼物带回到月亮、星星和太阳那里。

星星，星星，闪烁亮晶晶，

小孩平安诞生了，

天使，天使，一起来引导，

地球父母陪伴着他，

一年过去又一年，

星星，星星，依然闪烁亮晶晶。

芭芭拉对生日故事的讲解

从孩子小的时候起，每年生日都给他讲生日故事，这是一个非常好的传统。编这个故事的，可以是老师、父母、朋友或任何一个对孩子具有特别意义的人。讲故事的时候，最好不要照着稿子念，而要凭记忆讲述。为了让故事符合每个孩子的不同情况，可以在天国的孩子第一次看见充满爱心的善良夫妇之后，加一些描述性的语句，例如"这对夫妇至今还没有孩子"或"这对夫妇已经有一个女儿，名字叫简"。在我的故事里，孩子请求成为家庭一员的那个时刻是非常特别的，对我而言那就相当于怀上孩子的那一刻。

故事里提到地球上的职业，如面包师、鞋匠和商店主，这有几层含义。在七岁之前，为了适应个性的成长，孩子的身体也在成形和构建。面包师和鞋匠的工作是身体构建的一种写照或"图景"，而商店主（零售商）则象征着准备好去迎接外面的世界。从这些职业中，孩子犹如瞥见了未来。我们还将这些职业以及类似的内容融入圆圈游戏和故事中，这样可以帮助孩子建立与外部世界的关系。

班上孩子过生日的时候，他们的父母通常会准备一些点心，与大家一起围坐在餐桌边，分享孩子小时候的照片，说一说孩子小时候的事情。通过这种分享，家长在班级性的庆祝活动中发挥了自己的作用，他们非常喜欢这一点。

写给一位领养孩子的生日故事

南希·帕森（Nancy Parsons）讲述

如果我还在幼儿园工作，我会把这个生日故事讲给一个被领养的亚

— 我从彩虹那边来

洲小孩。

大约_____（孩子的年龄）年前的一天，_____（孩子的姓名）和她的天使往地球上看，想找一对合适的夫妇做她的新父母。她们从上看到下，从北看到南，但是没有找到一对父母可以给她所需要的一切。

她们下定了决心，继续寻找。她们向上看，又向下看；向东看，又向西看。就在她们向东西方向看的时候，她们发现了一些特别的事情。在东方有一对父母可以给这个孩子最初所需要的东西——他们可以打开彩虹桥末端的门，带给她生命和喜悦，让她来到地球上。然而他们所能给的只有这些，天使知道这个孩子还需要其他的东西。

_____（孩子的姓名）和她的天使又向西方望去，她们发现了一些非常特别的事情。他们发现了一对父母，他们不能打开彩虹桥的门，也不能给予孩子最初的生命，但他们可以给她一个充满爱的家，在那里她可以快乐地成长，并学习如何爱这个地球。_____（孩子的姓名）和她的天使非常开心地彼此看了一眼。他们决定就这样做。

就这样，在_____（孩子的年龄）年前的今天，_____（孩子的姓名）滑下了彩虹桥，她东方的父母等候在彩虹桥的末端，为她打开了门，迎接她，并给予她生命和喜悦。然后，几天（周／月）后，在许多人——当然还有天使——的帮助下，她找到了西方的爸爸妈妈，_____（孩子的姓名）先生和太太，他们张开双臂迎接她，带她回到充满了爱、喜悦和活力的家！生日快乐，_____（孩子的姓名）！

讲给一位幼儿园孩子的生日故事

南希·福斯特（Nancy Foster）讲述

从前有一个孩子，他和天使们一起住在天国里，他在那里很快乐。他看着美丽的色彩，听着美妙的音乐，那是他的家。可是有一天，孩子觉得他已经看过了天国里所能看到的一切，于是他透过金色的云朵向外张望，在远远的地方，他看到了地球，突然他有一种强烈的渴望，想要到地球上去。

于是他对天使说："我可以到地球上去吗？"天使看着他说："不，现在还不是时候，你需要再等等。"孩子等待着，很快忘记了关于地球的事情，仍然快乐地生活在天堂里。

有一天他又渴望着去地球，于是他对天使说："现在我可以到地球上去了吗？"天使看着他说，"不，现在还不是时候，你还需要再等等。"孩子继续等待着。

一天晚上，他睡觉的时候做了一个美妙的梦。他在地球上走着，周围有很多人。他遇到一个女人，他很爱这个女人，于是对她说："你愿意做我的妈妈吗？"女人说："愿意。"接着他又遇到一个男人，他很爱这个男人，于是对他说："你愿意做我的爸爸吗？"男人说："愿意。"于是孩子在这个美丽的梦里选好了自己的父母。

醒来后，他把这个梦告诉了天使。天使看着他说："好的，现在你该去地球了。你的爸爸妈妈正等待着你。不过你必须独自一个人去，我不能陪着你了。我会留在这里，守护着你，直到你再次回来。"

—我从彩虹那边来

"但是我要怎么去呢？"孩子问道。

"你会知道的。"天使说。

于是孩子去了梦的国度。月亮圆了十次又缺了十次，他划着一艘小小的船，穿行在梦的国度。最后，一道美丽的彩虹出现了，这道彩虹从天国一直伸展到地球。孩子跨过彩虹，来到了地球，变成一个小婴儿，他的名字叫_____（孩子的姓名）。

然后可以讲一讲孩子的生命历程中，每一年所发生的重大事件。例如，我就曾这样描述一个孩子的生命历程：他的爸爸妈妈非常爱他，给了他很好的照顾，他开始慢慢长大。他学会了笑，学会了自己坐起来，很快他一岁了。有一天，他的爷爷奶奶从加利福尼亚来看他，那时他两岁。他喜欢和妈妈、爸爸、妹妹一起散步，去看邻居的小狗，那时他三岁。他还第一次去了大海边。现在他四岁了。

适合不同年龄的童话和故事

琼·阿尔蒙（Joan Almon）整理

为孩子选择童话故事时，最好了解一下哪些故事适合哪个年龄段的孩子。以下划分仅供参考，而非硬性的标准。从每个类别中选几个故事读一读，你可以大致感受一下故事难度的推进，然后你可以根据自己孩子的需要和成熟度进行选择。

非常简单的故事以及按时间顺序讲述的故事，适合 3~4 岁的孩子。

比如：

《甜粥》（《格林童话》第 103 篇）

《银发（金发）姑娘与三只小熊》（出自童话故事集《浪花》）

《虱子与跳蚤》（出自童话故事集《浪花》）

《拔萝卜》（出自俄罗斯童话故事集《秋天的书》）

《连指手套》（俄罗斯）

《姜饼人》

《强尼的蛋糕》（英国）

《饥饿的猫》（偶戏剧本）

《小房子》（出自童话故事集《浪花》）

《老太婆和她的小猪》（《英国童话故事》[1]）

《猫和老鼠》（《英国童话故事》）

《希望被人敬佩的小男孩》（偶戏剧本）

《当根娃娃醒来》[2]

《小红母鸡》

《城市老鼠与乡下老鼠》

下面是稍微复杂一点的简单故事，故事氛围通常是愉快的，没有太
多悲伤和挣扎。非常适合 4~5 岁的孩子。

《三只山羊》

《三只小猪》

1　约瑟夫·雅各布斯（Joseph Jacobs）所著，原名为 "*English Fairy Tales*"。
2　美国童书作者奥黛莉·伍德（Audrey Wood）所著图画书，原名为 "*When the Root Chil-
dren Wake Up*"。

《狼和七只小山羊》（《格林童话》第 5 篇）

《松饼工厂》（出自童话故事集《让我们围一个圈》）

《玛申卡和熊》（出自童话故事集《浪花》）

《小仙人》（《格林童话》第 39 篇）

《星星银元》（《格林童话》第 153 篇）

《哈金和萝卜》（出自童话故事集《七岁的神奇之书》）

以下类别中的许多故事都属于童话，比起上面两类，这些故事有更
多的挑战和细节，主人公会遇到一些障碍，但这些障碍不会给孩子的心
灵造成沉重的负担。适合 5~6 岁的孩子。

《青蛙王子》（《格林童话》第 1 篇）

《何勒太太》（《格林童话》第 24 篇）

《小红帽》（《格林童话》第 26 篇）

《布莱梅的音乐家》（《格林童话》第 27 篇）

《金鹅》（《格林童话》第 64 篇）

《纺锤、梭子和针》（《格林童话》第 188 篇）

《森林里的房屋》（《格林童话》第 169 篇）

《蜂王》（《格林童话》第 62 篇）

《雪姑娘》（偶戏剧本）

《七只乌鸦》（《格林童话》第 25 篇）

《白雪与红玫》（《格林童话》第 161 篇）

《睡美人》（《格林童话》第 50 篇）

《火焰城堡的公主》（出自童话故事集《让我们围一个圈》）

《小树枝》（出自童话故事集《让我们围一个圈》）

《驴子》(《格林童话》第 144 篇)

《懒惰的杰克》(《英国童话故事》)

《汤滴豆》(《英国童话故事》)

《古怪的姓》(《格林童话》第 55 篇)

最后这个类别是深受孩子喜爱的故事,不过最好在小学一年级讲,不要在幼儿园或孩子小的时候讲。故事中的挑战更有难度,邪恶的力量被描述得更强烈。如果幼儿园有一些孩子快满七岁了,老师会在年末时从这些故事中选一两个讲。

《白雪公主》(《格林童话》第 53 篇)

《约林格和约林德》(《格林童话》第 69 篇)

《亨赛尔与格莱特》(《格林童话》第 15 篇)

《灰姑娘》(《格林童话》第 21 篇)

《莴苣姑娘》(《格林童话》第 12 篇)

亲子课中的手工 [1]

简单的打结娃娃

材料:

- 100% 纯棉绒布,色彩纯净淡雅。

- 羊毛絮。

- 与布料颜色相配的线。

- 结实的线——缝被子、钉纽扣的线或牙线。

---

1 注意:当婴儿和年幼的孩子玩柔软的娃娃和玩具时,成人也要时刻照管好他们!

— 我从彩虹那边来

头

1. 做娃娃的头部时，如图所示，把羊毛絮一条条地摞在一起。你需要用很多的羊毛絮。

1.

2. 把羊毛絮卷成一个结实而好看的圆球，用来做头。头的直径约为 2.5 厘米。

如果头不够大或不够光滑，可以在外面再加几层羊毛絮。

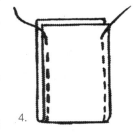

2~3.

如果脖子太粗，可以从中间拉出一些羊毛让它"变瘦"一点。

3. 用结实的线或牙线，在脖子处绕圈，缠紧并打结。

身体

4. 从绒布上裁剪一块 3 厘米 ×7 厘米的长方形用来做身体。沿着长边中间对折，两边对齐，缝出一个小口袋，如图。这个尺寸包括沿边 0.5 厘米的缝头和袋口。把口袋的内侧翻到外面来。把脑袋上羊毛絮的"尾巴"塞进口袋里，给身体一些重量。可能还需要再添加一些羊毛絮才能填满口袋。

4.

5. 把脑袋放进袋口，缝上一圈，让脖子和身体牢固地连接在一起。这个时候需要做一些调整，脖子不要太粗。

5.

6.取一块 20 厘米 ×20 厘米的正方形棉绒布，将四边缝上线。找到中心用别针做上标记。

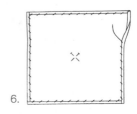

7.把缝好的棉绒布翻转过来，让反面朝上。把缝在一起的脑袋和身体放在棉绒上面，让头顶的中心对着棉绒的中心点。确保脸的中心和三角形底线中点在一条直线上。用棉绒布将头包起来，抚平一面的褶，用来做娃娃的脸。让脸部两侧和后脑的褶皱均匀分布。用线或牙线在脖子处缠绕几圈系紧。

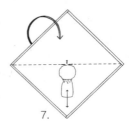

8.在三角形底线两端打上结，作为娃娃的手，在打好的结上缝几针，使它更结实。

有胳膊、腿的戴帽打结娃娃

材料：

- 100% 纯棉绒布，色彩纯净淡雅。

- 颜色相配的缎带和线。

- 羊毛絮。

- 结实的线——缝被子、钉纽扣的线或牙线。

头

请参照上面"简单的打结娃娃"头部制作说明 1~3 步。

身体

4. 裁剪一块棉绒布，尺寸如右图。

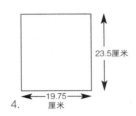

23.5厘米

4. ←19.75→
　　厘米

5. 在长边的 11.75 厘米处折叠，并在中心点做上标记。

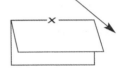

6. 把头包在棉绒布里，头顶中心与折叠处标记的中心吻合。

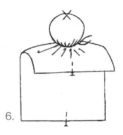

用棉绒布包住头部，将一面的褶皱抚平，作娃娃的脸，将这一面朝前。棉绒布折叠后短的那面是娃娃的后背。

用结实的线或牙线在脖子处缠绕几圈，并打结系紧。在棉绒布两端的中心都做上标记，如图。

腿

7. 缝制腿的时候，把娃娃翻过来，让正面对着你，缝制腿部，在中间处会合。

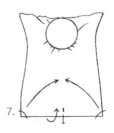

详细步骤见图 8a。

胳膊

8a. 缝制胳膊时，把娃娃的头按下，把背面的棉绒翻过来。

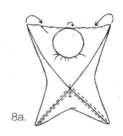

8a.

8b. 如图用线缝好，一直缝到中心标记处。确保留的空足够把头从里面拉出来。

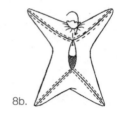

8b.

收尾工作

9. 把娃娃的头从开口处拉出来，让整个身体都出来。用羊毛将身子填满，这样它的身子就很饱满很好看，但不要鼓鼓囊囊的。将开口缝好。

大多数娃娃需要将上面做胳膊的那块棉绒拉下来并钉住。这样胳膊垂下来，和身体其他部分的比例就很协调了。在缝合好开口后再这样做。

9.

手和脚

10. 做脚和手的时候，在胳膊和腿的底部打小的结，然后，用针线缝几圈，固定住。

娃娃的帽子

1. 先测量头的尺寸，如右图。然后剪一块9.5 厘米 ×4.5 厘米或比实际尺寸大 1 厘米的棉

1.

— 我从彩虹那边来

绒布（每边大约 0.5 厘米的缝头已包括在内）。

2. 把帽子前面的边缝好。

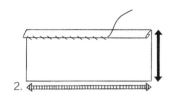

3. 从中间对折，两边对齐，将背面开口用针
线缝合。把帽底的边缝好。

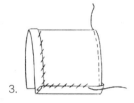

收尾工作

4. 把娃娃帽翻过来，缝上缎带。

**注意：如果孩子小，要防止他们把缎带放进嘴
里，以防被噎到。**

站立的布偶

材料：

- 用 6 厘米 ×6 厘米的棉布做头——可以用接近肤色的布料。
- 用中等至重型羊毛毡或羊毛混纺毡来做身子——6
  厘米 ×8 厘米。
- 用来填充头和身子的自然色的羊毛絮。
- 做头发的染色羊毛和相配的线。
- 做披风用的毛毡、棉或丝绸布。
- 结实的线——缝被子、钉纽扣的线或牙线。
- 相配的线。

- 做披肩的刺绣线。

- 一块光滑的石头（可以不用）。

头

1. 如图所示，把羊毛絮一条条摞在一起。你需要用很多的羊毛絮。把羊毛絮卷成一个结实而好看的圆球，用来做脑袋。脑袋的直径约 2.25 厘米。棉布铺在上面时，要能够把头包住。

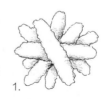

1.

脖子对于布偶完成后的样子非常重要。脖子要足够粗，这样头才稳固，不会摇动，但也不能太粗，否则就会有一种"大粗脖子"的感觉。在脖子处用结实的线或牙线系好。

2. 在正方形的棉布上找到中心，用别针做个标记。

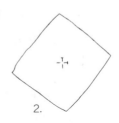

2.

3. 把头放在棉布下，头部最顶端的中心与棉布中心吻合。平整的那面做布偶的脸。

用结实的线或牙线在脖子上缠绕几圈，再用力拉紧，打上结。

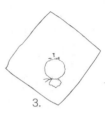

3.

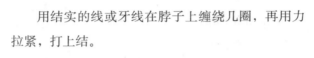

— 我从彩虹那边来

身体

4.把毛毡的两头叠在一起，重叠处宽约 0.25 厘米，缝好。把毛毡翻过来。

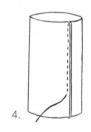
4.

5.用双股线，在靠近脖子的那一端缝上一圈连续的针脚。把脑袋和脖子伸进去，注意脸要朝前面。把线抽紧，把褶皱弄平整后，把线打上结。

在脖子边缘缝上一圈不易看见的针脚，把头和身子连接起来。你可能需要多缝几圈，这样脑袋才不会摇晃。

5.

收尾工作

6.缝上彩色羊毛做头发。如果做完后针脚露了出来，可以让头发松散一些遮住针脚。也可以用毛线做头发。

可以用毡、棉布或丝绸做披风。披风的长度应比身体短一点，宽度差不多。用刺绣线沿着披风的顶部缝上一圈连续的针脚，用来做系披风的带子。

有两种办法可以完成布偶的底部。

6.

褶边底

这种褶边底可以增加重量，让布偶站立更稳。折出 0.5 厘米的褶边，用暗针缝起来，轻轻地用羊毛絮塞满布偶。

底部缝合

你可能更喜欢在底部缝上一片圆形的大小合适的羊毛毡。这个方法的好处是填充物不会露出来。

用羊毛絮轻轻填满布偶的身子。在纸或硬纸板上描出羊毛毡身体的底部，边上留出约 0.25 厘米的缝头，按照模板剪下一块圆形的羊毛毡，把它缝到身体上。如果你愿意，可以在完全缝合前加一块光滑的石头增加重量。

手指编

材料：

- 粗羊毛线。

- 剪刀。

- 篮子或小布袋——用来装孩子编手指编的材料。

- 剪下相当于 4~5 个臂长的毛线，卷成如图所示的毛线卷。

- 按照图纸说明，把毛线往箭头方向拉。

1.把毛线打结，形成一个环。

1.

2.用拇指和食指穿过第一个环，捏住毛线，把它从第一个环里拉出来，第一个环就会拉紧。

2.

3. 继续拉出新的环，在此过程中另一只手应捏在最上面一个环附近。

3.

4. 如果新打的结太长，可以拉一下长的这端毛线，让结短一点。

4.

5. 手指编达到所要的长度后，把毛线穿过最后一个环，拉紧。

5.

这些绳可以有很多用途，可以作腰带、披风带、钓鱼线、包装带，也可以把它一圈圈绕起来，缝好，做成一个小垫子。

附　录

什么是华德福教育

华德福教育是根据鲁道夫·斯坦纳（Rudolf Steiner）的理论发展而来的一种世界性教育体系，涵盖幼儿园直至十二年级。斯坦纳是奥地利科学家、教育家和作家，第一次世界大战后接受埃米尔·莫尔特（Emil Molt）的邀请，于1919年在德国的斯图加特为华德福—艾斯托利亚（Waldorf-Astoria）烟厂的工人子弟建立了一所学校，从此投身教育领域。后来，人们称这种教育为"华德福教育"，其影响遍及欧洲，1928年，美国第一所华德福学校在纽约市建立。

斯坦纳认为孩子应顺应成长规律，根据年龄特点进行学习，在这方面他做了很多先驱性的工作，他的许多理论后来被格塞尔、皮亚杰等人的著作所证明。另外，他力求通过一种均衡的教育让孩子获得"整体"发展，即感觉、意志和思考的全面发展，尊重孩子的精神本质，让孩子获得自由。从幼儿园直至高中，华德福教育的宗旨始终是一以贯之的，但教育方式却随着孩子内在发展的变化而变化。

华德福学校在二战期间被纳粹关闭，不过很快又重新开放，在过去的二十年中还发展到一些局势动荡的地区，例如南非、中东、东欧和苏联。当前，华德福教育已遍布 46 个国家，全世界至少有 750 所华德福（斯坦纳）学校。

华德福幼儿教育

华德福幼儿园主张给孩子一个家一样的环境，鼓励孩子进行自主游戏，带领孩子参与艺术性的活动。斯坦纳认为，幼儿主要通过榜样和模仿学习，身体活动、节奏、童话故事和口头语言对于孩子特别重要。他认为孩子过早地发展读、写、算术等认知技能是不健康的，因为身体要达到一定的成熟度之后，成长的力量才能释放出来，投入到认知活动中。身体的这种变化体现在很多迹象上，包括换牙、孩子能把胳膊伸到脑后摸到对侧的耳朵等。学校会认真评估孩子是否做好了上一年级的准备，大多数学校要求孩子必须满六岁才能上小学。

许多华德福幼儿园都是混龄的，三到六岁的孩子都在同一个教室里。幼儿园里代表性的日常活动包括自主游戏、活动身体的游戏、故事圆圈、手工和艺术活动——湿水彩、捏蜂蜡、蜡块画、烘焙等。偶戏、远足和节庆也是贯穿全年的经常性活动。

华德福一至八年级

在一至八年级，所有课程都以一种生动而有画面感的方式呈现出来，因为斯坦纳发现，在小学阶段，如果课程能以一种富有艺术性和有想象力的方式呈现，孩子的学习效果是最好的。同一个老师带同一个班级，从一年级直到八年级，教授"上午的课程"，包括语言艺术、数学、历史和科学。每天上午的前两个小时上这些课，每个主题成为一个板块，持续3~6周。华德福学校没有统一的教科书和习题集，所有课本都是学生自制的，他们以富有艺术性的方式，记录下所学的内容。一天中其他的课程由专科老师讲授，其中包括外语、管弦乐、唱歌、艺术、手工、园艺、音语舞（鲁道夫·斯坦纳发明的一种运动艺术）和体育。

华德福高中

华德福高中的课程由专科教师讲授，高中阶段很注重培养青少年刚刚萌芽的分析性思考能力。老师的角色是帮助学生发展自己的思考能力。这个过程的关键是让学生直接体验各种现象，如动手做实验，阅读原汁原味的文学和历史作品而不是经过改编的课文或选集。华德福高中每年的课程都根据该年级学生内心的"问题"而定制，很符合青少年迅速变化的心理特征。

华德福教育资源

北美华德福学校联盟（Association of Waldorf Schools of North America，AWSNA）

　　地址：337 Oak Grove St Minneapolis, MN 55403

　　电话：612-870-8310

传真：612-870-8316

邮件：awsna@awsna.org

网站：www.waldorfeducation.org

北美华德福幼儿协会（Waldorf Early Childhood Association of North America, WECAN）

地址：285 Hungry Hollow Road Chestnut Ridge, NY 10977

电话：914-352-1690

传真：914-352-1695

邮件：info@waldorfearlychildhood. org

网站：www.waldorfearlychildhood. org

斯坦纳学校联谊会（Steiner Schools Fellowship）

地址：Kidbrooke Park, Forest Row Sussex, RH18 5JB UK

电话：+44 1342 822 115

传真：+44 1342 826 004

网站：www.steinerwaldorf.org.uk

瑞士歌德馆教育学部（Pedagogical Section at the Goetheanum）

地址：P.O.Box， CH-4143 Dornach（Switzerland）

鲍伯和南希的华德福商店（Bob & Nancy's Services）

地址：304 Tasman Place Philomath, OR 97370

电话：541-929-2359

邮件：writeus@bobnancy.com

网站：www.waldorfbooks.com 或 www.bobnancy.com 或 www.waldorfshop.
net 或 www.waldorfworld.net

什么是人智学

罗纳德·寇茨这样介绍鲁道夫·斯坦纳和人智学：

斯坦纳是欧洲文化史上一位重要人物。他曾多年担任德国神智学会（the Theosophical Society）会长，并于 1913 年发起了一场精神和文化运动——人智学运动，"人智学"的意思是"对人类本质的认识"。斯坦纳在哲学、宗教、心理、艺术、历史、经济及政治等方面做了很多演讲，写下了很多著作，在全世界范围内吸引了众多跟随者。他认为现代人——无论是作为个体还是作为全人类——都应该对精神现实有所觉悟，并认为个人生活和社会生活都应建立在这个精神现实的基础上。[1]

斯坦纳将人智学描述为"认识到一个人的人性"。最需要这种认识的，莫过于那些和人有关的领域，莫过于我们与其他人一起工作和生活的地方。斯坦纳所开创的所有实际工作——教育、自然活力农耕、艺术——都以这种认识为核心。

人智学从一种灵性的观点去看待人类和宇宙，不过它强调的是认

1　见罗纳德·寇茨（Ronald E. Koetzsch），《另类教育父母指南》（*The Parents' Guide to Alternatives in Education*），波士顿：香巴拉出版社，1997年。

知，而非信仰。它注重人的心和手，尤其是思考能力的发展。用斯坦纳的话来说，人智学探究的是"人的灵性直至宇宙的灵性"。人有一种内在的智慧，可以改变自身和世界。

人智学关于人的潜力的观点给许多人带来了希望和新生。[1] ·

人智学资源

美国人智学协会（Anthroposophical Society in America）

地址：1923 Geddes Avenue Ann Arbor, MI 48104-1797

电话：734-662-9355

传真：734-662-1727

邮件：information@anthroposophy.org

网站：www.anthroposophy.org

鲍伯和南希的华德福商店（Bob & Nancy's Services）

地址：304 Tasman Place, Philomath, OR 97370

电话：541-929-2359

邮件：writeus@bobnancy.com

网站：www.waldorfbooks.com 或 www.bobnancy.com 或 www.waldorfshop.net 或 www.waldorfworld.net

---

1　美国人智学社会，《面向全人类，运行人智学》，1993年。

咨询有关您本国的人智学团体信息，请联系：

人智学协会总部（General Anthroposophical Society）

地址：P. O. Box, CH-4143 Dornach 1, Switzerland

电话：+41 61 706 42 42

传真：+41 61 706 43 14

邮件：secretariat@goetheanum.ch

华德福教育参考书籍[1]

娃娃、玩具和手工制作

《羊毛毡手工：制作娃娃、礼物和玩具》（*Feltcraft: Making Dolls, Gifts and Toys*）

帮助初学者和有一定基础的读者学习制作小娃娃、手指偶和手偶、动物、手链、小礼品甚至壁毯等。书中附有详细说明、纸样和彩色插图。

《孩子的时光》（Cooper, Stephanie; Marye Rowling & Christine Fynes-Clinton: *The Children's Year*）

一百多种可以为孩子或与孩子一起制作的手工，包括衣服、填塞玩具、木制玩具和可以动的玩具，有些玩具以节日和季节为主题。

1　这些书籍目前尚未在中国大陆出版。——编者注

《和孩子一起做玩具》（Jaffke, Freya: *Toymaking with Children*）

作者是一名经验丰富的幼儿教师，介绍了如何制作富有想象力的高品质玩具，如木头小船、圆木火车、娃娃家具、碎布娃娃、布偶和填塞动物等。

《制作柔软的玩具》（Jaffke, Freya: *Making Soft Toys*）

介绍如何采用天然的材料，以非常低的成本制作简单的玩具（布偶、娃娃以及能带来特别惊喜的玩具）。

《土、水、火、风》（Kraul, Walter: *Earth, Water, Fire, and Air*）

介绍如何制作水车、桨轮蒸汽船、螺旋桨飞机、降落伞、风车、旋转陀螺、小型热气旋转木马、热气球等等。有的步骤简单，适合六岁的孩子，也有的比较有挑战性，适合有一定技巧的 12 岁以上的孩子。

《娃娃书：柔软的布娃娃和创造性的自主游戏》（Neuschutz, Karin: *The Doll Book: Soft Dolls and Creative Free Play*）

这本吸引人的书不仅介绍了如何制作棉布娃娃，还讨论了不同年龄段的孩子如何玩耍。

《幼儿园的羊毛毡手工》（Ping, Janene: *Felting Activity from the Kindergarten*）

霍桑谷华德福学校（Hawthorne Valley Waldorf School）出品，介绍了如何制作守护精灵的胡子和复活节彩蛋。

《制作娃娃》（Reinckens, Sunnhild: *Making Dolls*）

有 17 种娃娃的做法说明，包括手指偶、婴儿娃娃、小精灵等。

《梦的回声——让父母和孩子开始创造》（Smith, Susan: *Echoes of a Dream: Creative Beginnings for Parent and Child*）

适合学龄前和幼儿园的孩子。内容包括儿童园艺、玩具和手工、湿水彩和蜂蜡等。

《织出来的农场》《织出来的精灵和童话》《织出来的魔法城堡》（Wernhard,Hannelore: *The Knitted Farmyard; Knitted Gnomes and Fairies; Knit an Enchanted Castle*）

游戏

《孩子的游戏》（Brooking-Payne, Kim: *Games Children Play*）

本书中的游戏既有趣又有益身心，适合三岁以上的孩子，有利于提高孩子的团队合作意识、协调能力和空间意识。作者凭借丰富的经验，说明了每个游戏适合哪个年龄段的孩子。

《纽扣，纽扣，是谁赢得纽扣：101 种纽扣游戏》（Büchen,Hajo：*Button,Button,Who's Got the Button:101 Button Games*）

《安娜·伯奈娜：101 首跳绳韵律诗》（Cole, Joanna: *Anna Banana: 101 Jump-Rope Rhymes*）

帮助孩子在跳绳时保持节奏的韵律诗。

《手指游戏》（Mercury Press: *Finger Plays*）

46 个幼儿园手指游戏。

《孩子的游戏 1 和 2——孩子生活中的游戏》（van Haren, Wil & Rudolf
Kischnick: *Childs' Play 1&2: Games for Life for Children*）

介绍了各种游戏，从简单的猜谜游戏、拼图游戏到需要想象力、智
慧和创造力的复杂游戏。

《向前看》（von Heider, Molly: *Looking Forward*）

介绍了一系列游戏、韵律诗、歌曲和活动，适合 3~11 岁的孩子。第
二部分介绍了如何带领孩子做园艺，包括园艺的基本原则和实际操
作。

自然和园艺

《孩子的菜园——园艺、烹饪和学习》（Brennan, Georgeanne & Ethel: *The
Children's Kitchen Garden: A Book of Gardening, Cooking and Learning*）

本书秉承法国传统，教孩子欣赏新鲜和健康的食物。书中有大量精
美的插图、照片和美文。

《与孩子共享大自然》[1]（Cornell, Joseph: *Sharing Nature with Children*）

介绍了一些能够激发孩子热爱自然的游戏和活动。

《分享大自然的喜悦》[2]（*Sharing the Joy of Nature*）

1　本书已有中文简体版。
2　本书已有中文简体版。书名为《与孩子共享自然》Ⅱ。

继《与孩子共享大自然》之后，介绍了更多的游戏和活动。

《孩子的花园：让孩子和父母着迷的户外空间》(Dannenmaier, Molly: *A Child's Garden: Enchanted Outdoor Spaces for Children and Parents*)
帮助老师、家长、景观设计者为孩子创建特别的玩耍空间。带有精美的彩色照片。

《自然的方式——在故事和韵律诗中》(Harrer, Dorothy: *Nature Ways：In Story and Verse*)
适合（在幼儿园）大声朗读的故事，配有悦目的插图。包括《蝴蝶王子》《金色楼梯上的王子》《男孩和树》等。

《在大地上轻轻地游戏——适合 3~9 岁孩子的自然活动》(Horsefall, Jaqueline: *Play Lightly on the Earth: Nature Activities for Children 3 to 9 Year Old*)
让孩子在游戏中学会创造性思维、解决问题并发展各种技能。

《蜀葵的日子——幼儿的花园探险》(Lovejoy, Sharon: *Hollyhock Days: Garden Adventures for the Young at Heart*)
通过这本书，家长可以和孩子一起发现园艺的魔力。

《向日葵房子——各年龄段孩子的园艺发现》(*Sunflower Houses: Garden Discoveries for Children of All Ages*)
与上一本书是姊妹篇。

《自然角》（Leeuwen, M.V. and J. Moeskops: *The Nature Corner*）

介绍如何用简单的材料、基本的针织和钩针技巧创建美丽的季节桌。

《地球的方式：幼儿的简单环境活动》（Petrash, Carol: *Earthways, Simple Environmental Activities for Young Children*）

介绍如何利用大自然中的材料制作手工，如何跟随四季的脚步做各种游戏。附有精美插图。

歌曲、韵律诗、颂词和庆典

《和孩子们一起过节》（Barz, Brigitte: *Festivals with Children*）

介绍了每一个基督教节日的本质和特点、象征和习俗，并为在家里庆祝这些节日给出了实际性的建议。

《圣诞节工艺书》《复活节工艺书》《收获节工艺书》（Berger, Thomas: *The Christmas Craft Book*，*The Easter Craft Book*，*The Harvest Craft Book*）

这一系列书籍用通俗易懂的说明和明亮多彩的图片展现了关于季节性装饰的丰富想法。可供老师和家长多年参考。

《孩童之光：52 首献给孩子和每个人心中的孩子的韵律诗》（Burton, Michael: *In the Light of a Child: Fifty-two Verses for Children and the Child in Every Human Being*）

这些韵律诗受鲁道夫·斯坦纳"灵魂历法"的启发，遵循一年的循环，按两个半球编排。

《世界各地的节日》(Capel, Evelyn Francis: *Celebrating Festivals around the World*)

节日应该与四季的循环或基督教年联系起来吗？作者深入研究了自然年历下的节奏，讲述了大天使[1]和元素的作用。

《节庆、家庭和食物》(Carey, Diana and Judy Large: *Festivals, Family and Food*)

一本与节日有关的资料书。按四季进行编排，包含生日、午后茶点、雨天等部分。有 650 多种歌曲、趣味游戏、自制食物、故事、诗歌和活动等。

《孩子的一年》(Cooper, Stephanie, Christine Fynes-Clinton and Mary Rowling: *The children's year*)

本书告诉我们如何在每个季节制作合适的玩具和礼物。有详细的说明和精美的插图。

《鹅妈妈和道：童谣中的神话故事和含义》(Carter, Robin: *The Tao and Mother Goose: Myth and Meaning in Nursery Rhymes*)

作者是一位美术教师，书中有精美插图，集乐趣和信息为一体。作者认为，鹅妈妈的韵律诗充满了精神寓意。书中的每一个词、每一个句子或想法都具有深意，可以激发出读者内心的灵感。

《一年到头》(Druitt, Ann and Christine Fynes-Clinton and Marije Rowling: *All*

1　大天使（Archangel），又称天使长成总领天使，是常见于宗教传统之中的天使。

— 我从彩虹那边来

Year Round）

书中有大量的故事、诗歌、活动、手工介绍和歌曲，可以帮助家庭
创建自己的传统。

《说说玩玩——帮助孩子从生活中学习》（Eliot, Jane Winslow: *Let's Talk
Let's Play: Helping Children Learn How to Learn from life*）

一本实用的父母指南，包括课程、歌曲、游戏、诗歌和节庆。

《一起过节——多元文化节庆指南》（Fitzjohn, Sue and Minda Weston and
Judy Large: *Festivals Together: A Guide to Multi-Cultural Celebrations*）

这本资料翔实的书力求丰富和拓宽我们的节庆体验，反应出现代社
会"地球村"的本质。

《边唱边跳：季节性圆圈和传统歌唱游戏》（Foster, Nancy: *Dancing as We
Sing: Seasonal Circle Plays& Traditional Singing Games*）

一位经验丰富的华德福幼儿老师与读者分享了她的收集。

《节日历法：传统节庆、歌曲、季节性食谱和手工》（Green Marian: *A
Calendar of Festivals: Traditional Celebrations, Songs, Seasonal
Recipes& Things to Make*）

从宗教节日到假日，从播种到丰收，每个月都是节日。这本书阐述
了季节性习俗的迷人细节——习俗的本质和外在形式、最初的含义、
哪些地方还保留有这些传统以及对我们今天的价值。

《一天清晨：乡村歌曲、圆圈、民歌、号子、圣歌、种植歌和抒情短诗》

（Jaffke, Christophe and Magda Maier: *Early One Morning: Folk Songs, Rounds, Ballads, Shanties, Spirituals and Plantations Songs, and Madrigals*）

本书为父母、老师和孩子提供了多种多样的歌曲。

《孩子的季节宝藏》（Jones, Betty: *A Child's Seasonal Treasury*）

这本收集了诗歌、歌曲、手指游戏、手工和食谱的漂亮诗集，展现了数百种将季节融入孩子游戏的方法，取材于作者作为一名华德福老师多年的经历。

《献给地球众生的歌——绿色灵歌集》（Middleton, Julie Forest: *A Green Spirituality Songbook*）

这本歌集中荟萃了地球之歌、神灵（女神）之歌、生命轮回之歌和对地球生命的爱之歌。告诉我们应怎样小心和温柔地生活，地球上的生命才会延续下去。

《窗里窗外：幼儿歌谣插图本》（Metropolitan Museum of Art: *Go In and Out the Window: An Illustrated Songbook for Young People*）

收集了 61 首经典儿歌，内容涉及工作、玩耍、养育、催眠曲和民歌等。

《与上帝共舞——家庭仪式和社区节庆》（Nelson, Gudrud Mueller: *To Dance with God: Family Ritual and Community Celebration*）

让现代读者了解仪式的重要性，帮助我们与生命的意义和流动建立连接。

— 我从彩虹那边来

《跟随一年的脚步——家庭的基督节庆》（Powers, Mala: *Follow the Year: A Family Celebration of Christian Holidays*）

帮助现代家庭——无论何种教派——了解和跟随一年中的基督节日。已经绝版，不过值得找一找。

《微笑的宝贝：为什么要背诵童谣》（Scott, Anne: *The Laughing Baby: Remembering Nursery Rhymes and Reasons*）

作者解释了童谣这种传统艺术形式如何凭借其声音和韵味加强成人和孩子之间的连接，并成为孩子成长和健康必不可少的部分。

《一天的歌唱——90首幼儿歌曲》（Society of Brothers: *Sing Through the Day: Ninety Songs for Younger Children*）

荟萃了来自各个国家的歌曲，涉及起床、睡觉、玩耍、跳舞、生日、感恩、复活节、圣诞节、动物，甚至还有与下雨有关的内容。

《四季的歌唱——99首儿童歌曲》（*Sing Through the Seasons: Ninety-nine Songs for Children*）

有的歌曲由"兄弟社团"创作，有的从德文翻译过来，还有一些经典老歌以及来自世界各地的歌曲，适合各个年龄的孩子。

《父母和孩子的颂词》（Steiner, Rudolf: *Prayers for Parents and Children*）

鲁道夫·斯坦纳为各种场合创作的韵律诗，以其关于生前、此生和死后更大的宇宙关系的哲学思考为基础。附有作者关于这个主题的演讲。

《孩子的聚会手册——生日和其他场合》（Thomas, Anne & Peter: *The Children's Party Book: for Birthdays and Other Occasions*）

荟萃了关于游戏、手工、偶戏、主题聚会、装饰、邀请等的各种创意。

《让我们围一个圈》［Waldorf Early Childhood Association of North America (WECAN): *Let Us Form a Ring*］

幼儿园晨圈游戏中的歌曲、韵律诗和故事，按季节、生日和一天的节奏分类。

《喜悦的季节——犹太节日的现代指南》（Waskow, Arthur: *Seasons of Our Joy: A Modern Guide to the Jewish Holidays*）

介绍了犹太节日的起源、实际操作、新方法、食谱和歌曲，引领读者走过全年的精神旅程。

讲故事，玩耍和偶戏

《讲故事的艺术》（Mellon, Nancy: *The Art of Storytelling*）

在当今电子科技飞速发展的世界，讲故事这门古老的艺术是一剂解药。学习如何创造讲故事的奇妙氛围，发现故事讲述中的微妙因素，了解周围世界原型力量的象征。

《偶戏》（Wilkinson, Roy: *Plays for Puppets*）

以家喻户晓的幼儿童话故事为基础改编的牵线偶戏。

《一生的喜悦》（Zahlingen, Bronja: *A Lifetime of Joy*）

为幼儿园改编的偶戏故事集，带有童谣和歌曲，还介绍了如何制作牵线木偶。

育儿

《父母是孩子的第一任老师》（Baldwin-Dancy, Rahima: *You Are Your Child's First Teacher*）

作者是一位华德福幼儿教师，为初为父母的人提供了丰富的信息，介绍了如何迎接新生儿的到来、如何照顾和帮助宝宝发展等，涵盖了最初三年的保育问题。

《游戏中的孩子——采用华德福原则促进幼儿发展》（Britz-Crecelius, Heidi: *Children at Play: Using Waldorf Principles to Foster Childhood Development*）

作为一位母亲和华德福教育的拥护者，作者介绍了一些可以促进孩子想象力发展的游戏、玩具和艺术活动。

《做父母——童年之路》（Coplen, Dotty: *Parenting: A Path through Childhood*）

作者将自己身为母亲及祖母的经验与心理社会学的研究相结合，深刻洞察到孩子的本质和需求。

《为孩子创造健康的未来》（Coplen, Dotty: *Parenting for a Healthy Future*）

从实际和灵性的角度探索育儿的挑战。

《太阳的七次：引导你的孩子度过有节奏的一天》（Darian, Shea: *Seven*

Times the Sun: Guiding your Child Through the Rhythms of the Day）
作者向我们展示如何将乐趣带入日常的生活中，如用餐、睡觉、祷告和小憩，富有实用价值。

《生活的方式：解决家庭问题》（Davy, Gudrun and Bons Voors: *Life ways: Working with Family Questions*）
关于上世纪九十年代"家"的意义以及个人满足和家庭生活之间矛盾的文选。

《更多的生活方式：在家庭生活中寻找支持和灵感》（*More Lifeways: Finding Support and Inspiration in Family Life* edited by Patti Smith & Signe E. Schaefer）
收集了 27 篇文章，内容涉及倾听、内在发展、金钱、性与权力、精神性、单亲、当父亲、死亡和在家里去世、领养等主题。

《养育家庭：行星双亲学》（Don & Jeanne: *Raising a Family: Living on Planet Parenthood*）
介绍了如何建立一个关爱的环境，让家人成为向着同一目标前进的齐心协力的整体，而不是四分五裂的个体。

《养育儿子：父母和健康男人的塑造》 [1]（Don & Jeanne: *Raising a Son: Parents and the Making of a Healthy Man*）
指导家长如何教育男孩子应对挑战，让男孩成为健康、自信而有爱

1　本书已有简体中文版。

心的男人。

《养育女儿：父母和健康女人的苏醒》[1]（Don & Jeanne: *Raising a Daughter: Parents and the Awakening of a Healthy Woman*）
帮助父母澄清在养育女儿的过程中接收到的相互冲突的讯息，分析社会对女性态度的变迁。

《过早消失的童年》（Elkind, David: *Grow Up Too Fast Too Soon*）
帮助父母和老师了解孩子，保护孩子童年的自由和快乐，让孩子健康成长。

《被催促的孩子——过早消失的童年》（Elkind, David: *The Hurried Child: Growing Up Too Fast Too Soon*）
如今的孩子无论是认知还是情感都成熟得太早，他们模仿大人的老练，内心却向往着孩童的天真。

《产生压力的关系：家庭中新的失衡现象》（*The Ties That Stress: The New Family Imbalance*）
总结了过去几十年美国家庭的变迁以及孩子为之付出的代价。

《华德福学生阅读书目》（Fenner, Pamela and Karen Rivers: *Waldorf Student Reading List*, revised 3rd edition, 1995）
一本全面的书目，帮助家长、老师、图书管理员和学校为孩子选择

1　本书已有简体中文版。

优秀的书籍。

《儿童健康指南》（Michaela Glöckler and Wolfgang Goebel: *A Guide to Child Health*）

作者是一位人智医学专家和儿科医生，根据多年的经验写出了本书。

《孩子如何游戏》（Haller, Ingeborg: *How Children Play*）

创造性的游戏是幼儿成长过程中及其重要的部分。自主游戏为儿童成长打下基础，使他们在今后的工作中拥有快乐和平衡的心态，以负责任的心态去面对生活。

《濒临灭绝的心智：为什么孩子不会思考，我们要如何应对》（Healy MD, Jane: *Endangered Minds: Why Children Don't Think and What We Can Do About It*）

本书阐述了语言、学习和大脑开发之间的关系，解释了当下的生活模式是如何妨碍语言习得和思考的。

《找一个家：妇女的工作、呵护和分享》（Jones, Noraugh: *In Search of Home: Women Working, Caring, Sharing*）

作者倾听了生活在各种不同关系中的女人——单亲女性、同性恋夫妇、离异和分居女性、年老寡居者、四处旅行及富有创造力的独身女性的诉说。每个人都描述了自己心目中的"家"，也许迥异于传统，但反应了她们正在情感和道德之旅中走向成熟。

《父母亦凡人》（Kane, Franklin: *Parents as People*）

一位经验丰富的华德福老师描述了幼儿的成长以及节奏的重要性。他以通俗易读的语言描述了自己对华德福教育和斯坦纳哲学的理解，几乎没有任何专业术语。

《童年的阶段——身、心、灵的成长》(Lievegoed, Bernard: *Phases of Childhood: Growing in Body, Soul and Spirit*)

从鲁道夫·斯坦纳的观点出发，阐述了儿童发展的周期。对许多华德福老师和家长来说，是一本值得反复阅读的书。

《进化的末端——了解智力的潜能》(Pearce, Joseph Chilton: *Evolution's End: Claiming the Potential of our Intelligence*)

作者根据学术研究的结果和个人的体验，发展出自己的人类智力进化论，深刻洞察了当今文明对人类发展的挑战和阻碍。

《神奇的孩子》(Pearce, Joseph Chilton: *The Magical Child*)

阐释了每个孩子成长过程中所必须经历的阶段，强调万物皆有时。这意味着不要把孩子丢在摇篮中不管，不要逼着孩子过早学习读和写，要限制孩子看电视，鼓励他们进行想象和游戏。

《神奇的孩子长大了》(Pearce, Joseph Chilton: *The Magical Child Matures*)

可能已经绝版，不过值得在图书馆中找找阅读一下。

《奇妙的童年》(Querido, Rene: *The Wonder of Childhood*)

描述了孩子三岁前的生活。

《我来了》[1]（Salter, Joan: *The Incarnating Child*）

作者是一名助产士和育儿专家，她探讨了孕育、出生、童年直至青春期的各个阶段，书中涉及孩子身体和精神的发展、健康、环境和学习。

《用灵魂养育孩子：把育儿当作特殊的工作》（Salter, Joan: *Mothering with Soul: Raising Children as Special Work*）

养育孩子是一种内心的职业和精神的活动，而不仅仅是实际工作。本书探讨了孕育、生育、母乳喂养、一天的节奏、意识的进化、家庭外的工作、儿童保育、祖母等话题。

《暴动如公牛：电子时代读写能力的退化和暴力的增多》（Sanders, Barry: *A Is for Ox: The Collapse of Literacy and the Rise Of Violence in an Electronic Age*）

作者鼓励读者重新定义什么是识字，它是如何从口头文化中发展而来的，为什么如此重要，并探讨了如何培养读写能力。

《家庭主妇的精神任务》（Schmidt-Brabant, Manfred: *The Spiritual Tasks of the Homemaker*）

书中探讨了如何利用灵性知识为现代家庭主妇带来力量和洞见。

《有意识的婴儿》（Solter, Ph.D., Aletha J.: *The Aware Baby*）

作者对大多数传统的育儿理念提出质疑，介绍了一种有益、实用且

1　台湾出版了该书的繁体中文版。

含义深远的新理论。

《**帮助幼儿茁壮成长**》（Solter, Ph.D., Aletha J.: *Helping Young Children Flourish*）

作者展现了她对于幼儿情感的洞察力，描述了如何用另一种方式对孩子进行惩罚和赞赏。

《**自然的童年：发展中的孩子父母的首选实践指南**》（Thomson, John general editor: *Natural Childhood: The First Practical and Holistic Guide for Parents of the Developing Child*）

鲁道夫·斯坦纳、约翰·霍尔特和卡尔·罗杰斯等人的先锋思想让我们从全新的视角洞察了儿童内在的发展。作者探讨了许多新的思想，也从更加传统的视角讨论了关系、教育、健康、创造和游戏等话题。

《**童年——儿童成长研究**》（von Heydebrand, Caroline: *Childhood: A Study of the Growing Child*）

作者是鲁道夫·斯坦纳的学生。她在本书中介绍了鲁道夫·斯坦纳关于儿童成长、生理机能、气质的理解以及其他人在这些方面的看法。

《**孩子的诞生——怀孕、分娩、童年早期**》（zur Linden, Wilhelm: *A Child is born: Pregnancy, Birth, First Childhood*）

作者结合自己作为儿童医生的毕生经验和对人类本质三个层面（身、心、灵）的理解，介绍了有助于孩子成长的保育、营养和教养方式。

电视和科技

《孩子与机器——为什么电脑会危及孩子的教育》（Armstrong, Alison &
Charles Casement: *The Child and the Machine: Why Computers May
Put Our Child's Education at Risk*）

以科学和医学研究为素材，在调查的深度和严谨性上具有开创性，
结论可靠。

《独眼巨人的孩子——电视对人脑发育的影响》（Buzzell, Keith: *The
Children of Cyclops: The Influence of Television Viewing on the
Developing Human Brain*）

看电视对孩子的认知发展有消极影响吗？这本书披露了对于这个问
题的最新调查。

《无法连接——电脑如何影响孩子的思维》（Healy, Jane: *Failure to
connect: How Computers Affect Our Children's Minds—for Better or
Worse*）

电脑融入孩子生活是好是坏？本书是对这一辩论的有益补充。

《谁在伴孩子长大？如何打破看电视的习惯？》[1]（Large, Martin: *Who's
bringing them up? How to Break the T.V. Habit?*）

电视对儿童和家庭的影响以及如何少看电视的建议。

---

1 本书已有简体中文版。

—— 我从彩虹那边来

《带插头的毒品：电视，孩子和家庭》（Winn, Marie: *The Plug- in Drug: Television, Children and the Family*）

为读者详细说明了被动看电视以及玩电动游戏和电脑对儿童发育的影响。

华德福教育

有许多优秀的书籍可供那些想要进一步了解华德福教育的人参考。如果当地图书馆或书店没有这些书籍，您可以向本附录中列出的华德福、人智学组织和出版社订购。

《华德福幼儿园概况》（Almon, Joan: *An Overview of the Waldorf Kindergarten*）

文章选自《华德福幼儿园简讯》*1981 ～ 1992* 年第一卷，是一份有用的指南。

《对华德福幼儿园的深入了解》（Almon, Joan: *A Deeper Understanding of the Waldorf Kindergarten*）

文章选自《华德福幼儿园简讯》*1981 ～ 1992* 年第二卷，介绍了幼儿发展的精神背景。

《鲁道夫·斯坦纳教育》（Edmunds, Francis: *Rudolf Steiner Education*）

一位在英语华德福学校里备受尊敬的老师对"什么是华德福学校"给出了权威的回答。

《华德福教育家庭指南》（Fenner, Pamela & Karen Rivers: *Waldorf Education,*

A Family Guide）

介绍了华德福教育，针对父母的问题和担忧进行解释，简单易懂，特别适合刚接触华德福教育的父母。

《学校是一段旅程》[1]（Finser, Torin: *School as a Journey: The Eight-Year Odyssey of a Waldorf Teacher and His Class*）

一位华德福老师描述了自己的工作和学生，引人入胜。

《早期儿童教育》（Grunelius, Elisabeth: *Early Childhood Education*）

描述了华德福幼儿园的体制和目的，包括幼儿园的布局、室内和室外的设施和一天的节奏，很有先锋性。

《发现童年》（Harwood, A. C.: *The Recovery of Man in Childhood: A Study of the Educational Work of Rudolf Steiner*）

以通俗易懂的方式介绍了从幼儿直至十二年级的华德福教育，适合那些希望深入了解华德福教育理论和实践的读者。

《孩子的方式》（Harwood, A. C.: *The Way of a Child*）

关于孩子发展和华德福教育最受欢迎的介绍之一。

《孩子的花园》（Heckman, Helen: *Nøkken: A Garden for Children*）

描述了丹麦的华德福幼儿教育。

1　本书已有简体中文版。

《你想要知道的华德福学校》（Howard, Alan: *You Wanted to Know...What a Waldorf School is...and What It is Not*）

本书作者是一位重要的华德福教育家，他在书中以问答的方式，回答了关于华德福教育的一些基本问题，如华德福教育的历史、课程设置以及学较和社区的关系等。

《另类教育父母指南》（Koetzsch, Ronald E.: *The Parent's Guide to Alternatives in Education*）

详尽介绍了各种非传统学校，为读者提供了全面的信息，帮助读者选择适合孩子的教育。

《华德福学校》（上、下册）（Pusch, Ruth, editor: *Waldorf Schools, Volume I and II*）

介绍了华德福教育的方方面面。书中内容选自纽约市鲁道夫·斯坦纳学校 40 年来的校刊，全面介绍了这种教育的艺术。上册讲述幼儿教育，下册讲述小学和中学的教育。

《教育的创新——华德福的方式》（Querido, René M.: *Creativity in Education: The Waldorf Approach*）

描述了以儿童全面发展为宗旨的华德福教育。

《华德福教育简介》《童年的王国》《儿童意识的转化》 等 （Steiner, Rudolf: *An Introduction to Waldorf Education, The Kingdom of Childhood, The Child's Changing Consciousness*）

鲁道夫·斯坦纳的著作。可联系鲁道夫·斯坦纳大学出版和书店获取目录。

《华德福教育基础系列》（Steiner, Rudolf: *Foundations of Waldorf Education Series*）

新系列包含鲁道夫·斯坦纳关于华德福教育的所有演讲和著作。请联系人智学出版社获取目录。

《童年》（von Heydebrand, Caroline: *Childhood*）

这是一本关于华德福幼儿园的经典之作。作者曾在鲁道夫·斯坦纳所创办的第一所华德福学校工作过，详细阐述了如何与学龄前儿童相处。

《华德福幼儿园 1998 年春季简讯》 [Waldorf Early Childhood Association of North America (WECAN): *The Waldorf Kindergarden Newsletter Spring 1998*]

这本文集中的文章由幼儿园专家撰写，其中包括活动、歌谣和故事，此外有些文章还探讨了健康问题和世界各地的幼儿教育工作及幼儿研究。

《常识教育和新教育》（Wilkinson, Roy: *Commonsense Schooling and Renewing Education*）

从实用的角度介绍了鲁道夫·斯坦纳的教育思想和方法，探讨了教育的目的、孩子的本质、学校的结构和组织等主题。

录像

《教育的冒险：华德福启示下的公立学校》48 分钟（*Taking a Risk in Education: Waldorf Inspired Public Schools*）

这个短片展示了华德福课程如何融入美国的公立学校。这些第一手的影像让我们看到这个计划中，老师、管理者和学生的工作和学习。

《华德福的承诺》53 分钟（*The Waldorf Promise*）

八位采用华德福教学法的公立学校教师分享了自己的课堂体验和个人经历。

《都市里的华德福：密尔沃基一所公立学校的一天》20 分钟（*Urban Waldorf: A Day in the Life of a Milwaukee Public School*）

记录了华德福课程如何给美国公立教育带来生机和活力。

《华德福教育面面观》16 分钟（*Waldorf Education: A Vision of Wholeness*）

生动记录了好几所华德福学校的课程以及老师、学生和家长的状况。

人智学

读者可以向人智学出版社（Anthroposophic Press）、水星出版社（Mercury Press）、鲁道夫·斯坦纳学院出版社（Rudolf Steiner College Press）写信索取鲁道夫·斯坦纳的英文著作以及传记的目录，以下列举了其中部分著作：

《追求灵性的一生——鲁道夫·斯坦纳在我们时代的逆流中》（Barnes, Henry: *A Life for the Spirit: Rudolf Steiner in the Crosscurrents of Our*

Time）

鲁道夫·斯坦纳作为积极的先驱者，毕生致力于人类精神的研究，本书细述了其充满活力和传奇色彩的一生，及对历史和当下的重大影响。

《人智学的方式——对当代问题的回答》（Easton, Stewart: *The Way of Anthroposophy— Answers to Modern Questions*）

这本小书由鲁道夫·斯坦纳一个著名的口译员所写，向读者介绍了什么是人智学。

《人智学启迪下的人和世界》（Easton, Stewart: *Man and World in the Light of Anthroposophy*）

概览了斯坦纳颇有贡献的多个领域，带领读者欣赏鲁道夫·斯坦纳给人类带来的丰富的财富。

《斯坦纳精华》（McDermott, Robert, editor: *The Essential Steiner*）

以通俗易懂的方式介绍了鲁道夫·斯坦纳的思想和著作，从斯坦纳的书和演讲中挑选了 17 篇纳入本书，许多学习人智学的人都认为这是不可或缺的一本书。

《理解人类》（Sedden, Richard, editor: *Understanding the Human Being*）

本书精心选编了斯坦纳的部分著作，可供读者全面了解斯坦纳有关众多主题的基本思想。

《十二感觉》（Soesman, Albert: *The Twelve Senses*）

从斯坦纳著作出发，帮助读者以一种生动的方式去体验和理解人类的感觉。内容通俗易懂，富有想象力，是老师、医生、治疗师、咨询师、保育员、心理学家和科学家的学习指南。

《生命的旅程》（斯坦纳自传）（Steiner, Rudolf: *The Course of My Life*）(Steiner's autobiography)

下面几本书被公认为人智学的"入门书籍"，包含了鲁道夫·斯坦纳学说的基本理念：

《如何认识更高层次的世界，一条创新的现代之路》（有书和录音版本）(*How to Know Higher Worlds, a Modern Path of Initiation*)

《心灵之路的直觉思考，自由的哲学》（最初书名为《自由的哲学》或《精神运动的哲学》）[*Intuitive Thinking as a Spiritual Path, A Philosophy of Freedom*（formerly titled *The Philosophy of Freedom* or *The Philosophy of Spiritual Activity*）]

《神秘科学概要》（最初书名为《超自然科学概要》）[*An Outline of Esoteric Science*（formerly titled: *An Outline of Occult Science*）]

《神智学，人类生命和宇宙中的精神过程的简介》（*Theosophy, An Introduction to the Spiritual Processes in Human Life and in the Cosmos*）

《从神秘事实看基督教》（*Christianity as Mystical Fact*）

出版社资源

人智学出版社（Anthroposophic Press）

地址：PO Box 799 Great Barrington, MA 01230

电话：413-528-8233

传真：413-528-8826

免费电话：800-925-1795

邮箱：service@anthropress.org

网站：www.anthropress.org

北美华德福联盟出版社（AWSNA Publications）

地址：3911 Bannister Road Fair Oaks, CA 95628

电话：916-961-0927

传真：916-961-0715

邮箱：publications@awsna.org

网站：www.waldorfeducation.org

水星出版社（Mercury Press）

地址：241 Hungry Hollow Road Chestnut Ridge, NY 10977

电话：914-425-9357

传真：914-425-2107

米迦勒出版社（Michaelmas Press）

地址：P.O. Box 702 Amesbury, MA 01913-0016

电话：978-388-7066

传真：978-388-6031

邮箱：info@michaelmaspress.com

网站：www.michaelmaspress.com

鲁道夫·斯坦纳学院出版社和书店（Rudolf Steiner College Press and Bookstore）

地址：9200 Fair Oaks Blvd　Fair Oaks, CA 95628

电话：916-961-8729

传真：916-961-3032

邮箱：rsc@steinercollege.org

网站：www.steinercollege.org

斯坦纳学校联谊会出版社（Steiner Schools Fellowship Publications）

地址：Kidbrooke Park, Forest Row Sussex, RH18 5JB UK

电话：+ 44 1342 822 115

传真：+ 44 1342 826 004

网站：www.steinerwaldorf.org.uk

致　谢

感谢伊利诺斯州埃文斯顿大橡树学校（Great Oaks School），该校主办的父母成长系列课程激发了我们创作本书的灵感。两位作者都把稿酬捐赠给了大橡树学校。

感谢珍妮特·凯尔曼（Janet Kellman）亲切的前言，感谢安德里亚·兰迪博士（Dr. Andrea Rentea）撰写"温暖的重要性"一节，我们这本书因此而更加饱满充实。

艾伦·泰勒（Ellen Taylor）给了我们无价的帮助和支持，她深厚的学术背景使她有能力彻底推敲这本书的内容。我们还要感谢我们的读者玛丽·博（Mary Ber）、丽莎·巴赛特（Lisa Basset）、伯尼·昌西（Bonnie Chauncey）和扎哈瓦·弗什（Zahava Fisch）。

感谢南希·帕森斯（Nancy Parsons），在华德福教育和人智学书籍方面，她有丰富的编辑经验，为本书奠定了扎实的基础。

辛西娅·奥尔丁杰（Cynthia Aldinger）、琼·阿尔蒙（Joan Almon）和苏珊·格雷·韦伯（Susan Grey Weber）就本书童话故事参考部分提出了有用的意见和建议。

1998 年 8 月，在加州萨克拉门托市举行的华德福教育治疗大会上，克劳德·朱利恩（Claude Julien）不顾 110 华氏度的高温，为我们提出了宝贵的建议，把我们领入了出版业这个巨大的世界。

同样感谢在我们需要时给予我们法律建议的保罗·卡门（Paul Carmen）。特别的谢意送给参与"发展十二感觉"一章主题讨论的咪咪·阿恰里（Mimi Acciari）、贝丝·凯利（Beth Kelly）、玛丽·斯波尔丁（Mary Spaulding）和凯若·雷根哈特（Carol Regenhardt）。

衷心感谢河滨公园儿童之家多年来的所有孩子和家长。他们为这本书带来了日常生活经验的深度和幽默的色彩，为本书定下了基调。

非常感谢简·瑞奥丹（Jean Riordan），她曾就读于芝加哥艺术专科学校（Chicago Academy of Fine Art）和芝加哥艺术学院（the Art Institute of Chicago），四年来她一直在河滨公园儿童之家做配班老师，为孩子们的生日和毕业纪念册创作了许多美丽的图画。这些年之后，她的作品已经成为许多家庭的珍藏。本书的插图是她的丈夫凯文（Kevin）扫描后交给出版社的。谢谢你们，简和凯文。

我们的丈夫应为他们长久以来的耐心得到特别的谢意——感谢罗伯特·帕特森（Robert Patterson），他很早就开始接触华德福教育，同时又是家长和大橡树学校理事成员，因此给了我们很多有用的建议；感谢格里·拉布茨（Gerry Labedz）在计算机方面的专长，感谢他的幽默，也感谢他在我们精神低落时一直带给我们信心。他给芭芭拉上了她一生中的第一堂计算机课，芭芭拉非常喜欢这堂课。

此外还要感谢帕梅拉·芬纳（Pamela Fenner），她相信我们所要传达的东西正是家长和老师们苦苦追寻的。正是由于她对书的品质的要求和敬业精神，才有这样一本漂亮的书面世。能够参与到这本书的出版过程中，我们十分高兴。

最后，两位合著者要彼此感谢：

芭芭拉，这些年来你也许多次怀疑我是否明智，怀疑我们是否真能做出一本书来，但你和我一起坚持着，哪怕在最黑暗的日子里。你的意志力发展得太好了！你所分享的知识和人生经历给这本书注入了无与伦比的品质和生命力。谢谢你，芭芭拉！非常荣幸能与你一起合作。

帕梅拉，你真有天赋，能够破译我手写的笔记，那里面到处是指示箭头和表示此处需要插入新句子的星号。你一直带着微笑去做一切，感染着我，让我继续前进。我从你身上学到了许多，我尤其要感谢你的写作天赋给这本书带来了创造力。如果没有你，我无法完成。谢谢你，帕姆。

译者后记

　　记得书名《我从彩虹那边来》最终确定下来时，我的一位朋友好奇地问道："彩虹那头是哪里啊？"我一时语塞，想了想，答道："每个出生的孩子都是一个天使，在天使变成人类的孩子前，都住在最柔软最舒适的天国里，连接这个世界和天国的就是彩虹。出生那一刻，孩子滑过彩虹桥，从彩虹那头来到了这个世界。"朋友微笑着点点头。

　　作为一名幼儿老师，在许多孩子的生日会上，我总会为他们讲天使和彩虹桥的故事，我们不会告诉孩子彩虹的寓意，可奇怪的是，每个孩子似乎都能明白，仿佛故事就是他们亲身经历过的事情。就如这本小书，作者没有像教育专家一样向我们传授教育心得，只是像一位亲切睿智的老人在心平气和地与我们交谈，聊一聊小时候的回忆，谈一谈与孩子一起发生的事情，却带着我们进入一次心灵的旅程，让我们在每次谈话后都有所收获，有所感悟。

　　三年前我从成都带回了这本书的英文稿，当时并未想过有一天会出版，只是受紫云妈妈的委托将其翻译，作为老师学习交流之用。翻开这本书，从头到尾看了一遍后，便开始着手翻译。记得当初紫云妈妈问我读后的感受，我还轻描淡写地说道："章节设置得挺好，对家长提问的答疑也很好，不过内容没什么特别之处。"她沉默了一会儿，对我说："每一本书都有它的独特之处，你要用心去读，去感受，希望老师们在读译稿的时候也能感受到作者的用心。"我点点头，可心中仍不以为然，觉得书中提到的许多内容，如幼儿的游戏和玩耍、十二感觉、节奏、想象、模仿等等，在之前关于华德福和人智学的培训和书籍中都已经有详细的讲解。

抱着这种心态，第一遍翻译时并未用太多时间，看着打印出来的厚厚的译稿，反复了读了几遍，修改了部分辞藻，甚至有的地方觉得直译过来不生动，便根据自己的理解将其肆意改动，完成后又通读了一遍，自认为大功告成了！在老师的学习交流会上，我美滋滋地将译稿发给大家（现在想来真是汗颜！），大家照例读后进行讨论，由于还没有人看过英文版原文，而中文译稿中改动的地方也是凭借多年学习经验和参考资料所写，并没有人提出质疑，反而都觉得不错，在书中第六章里的几个生日会故事还被讲述过多次（再次汗颜并愧疚！），渐渐地，我也将此事淡忘。

直到一年前，出版公司的一个电话才让我知道原来在宣丽老师和吴蓓老师的帮助下，这本书的译稿已经到达出版公司，这带给我一个惊喜的消息——可以出版！我虽然是外语专业毕业，不过只在小杂志上发表过一篇简短的译文，从未翻译出版过书籍。当时也不知道需要做什么，庆幸的是，立品图书的编辑非常负责任，在认真看过原文并进行校对后，很快发现了问题，要求我一章一章地校正修正，于是我开始了艰辛的校正工作，不，是真正的翻译工作。记得仅仅是一篇序，我在一周内便修改了八次，可是编辑还是不满意，当时真的在心里有点焦急，为什么编辑会这么"眼尖"，原文中一个小小的副词、甚至一个标点位置也要这么较真？为什么明明意译读起来更生动也偏要直译？直到她对我说"作为译者，最重要的责任是将原文的原貌呈现给读者，而不是写读后感，更不是自己写书"才让我真正意识到译者的责任。于是我重新一句一句地翻译（一句英文一句中文），一个词一个词地斟酌，然后再将翻译的句子整合在一起，除了修改必要的连接词或略微润色外，不做任何改动。就这样，完全重新翻译了整本书。不过由于个人水平有限，即便如此翻译，也不免有纰漏和不足之处，敬请大家谅解及指正。

也是在那时，我才真正去阅读这本书，尝试在心中与作者对话，并且理解了紫云妈妈在最开始对我说的话。每本书都有它的独特之处，即使有十本书都是讲同一个主题内容，可读完后的感受和收获也不尽相同。就像这本小书，它的价值并不在于解释什么是十二感觉，什么是人智学（这些概念在斯坦纳的演讲或其他著作中早有定义），而是表达出作者作为一名华德福教育工作者、三个孩子的母亲和一位祖母，所有的这些概念和理论运用在她的生活、家庭和工作中的经验和体悟。这不是一本查阅生涩词汇的词典，也不是一部阐释理论的大块头的书，只是一本薄薄的小书，通俗易懂，带着愉悦的心情去阅读，你一定会有所收获。

本书得以顺利地翻译完成，首先要感谢黄晓星老师和吴蓓老师对我的信任和鼓励。无尽的感谢献给此书的编辑周恳、陶欢和审校燕红，你们在细节上的建议，文字上的润色，使我在书稿文字上的推敲和修订上获益良多，那份细致和责任感让我感动和敬佩。我还要特别感谢长春的紫云妈妈，每次在我翻译工作遇到困难而焦躁时，你都会建议我先不要翻译，因为翻译时的心是非常重要的，只有带着一颗感恩、平和的心，翻译出的文字才能对作者和读者们负责。感谢所有为这本小书努力的人！

郝志慧

2011.9